图书在版编目(CIP)数据

100个水传说/张建民主编. —南京：河海大学出版社，
2009.3
(水文化教育丛书/郑大俊，鞠平总主编)
ISBN 978-7-5630-2550-3

Ⅰ.1… Ⅱ.张… Ⅲ.民间故事—作品集—中国
Ⅳ.I277.3

中国版本图书馆CIP数据核字(2009)第042839号

书　　名	100个水传说	
书　　号	ISBN 978-7-5630-2550-3/I·68	
责任编辑	朱婵玲	
特约编辑	吴毅文	
责任校对	赵德水　　刘书含	
装帧设计	南京千秋企划广告有限公司	
出　　版	河海大学出版社	
发　　行	江苏省新华发行集团有限公司	
地　　址	南京市西康路1号(邮编:210098)	
电　　话	(025)83737852(行政部)	
	(025)83722833(发行部)	
	(025)83786934(编辑部)	
排　　版	南京理工大学印刷厂	
印　　刷	南京工大印务有限公司	
开　　本	750毫米×1020毫米　1/16	
印　　张	14.25	
字　　数	241千字	
版　　次	2009年7月第1版	
印　　次	2009年7月第1次印刷	
定　　价	680.00元/套(共10册)	

(河海大学出版社图书凡印装错误可向本社调换)

水文化

教育丛书

总策划

张长宽

总主审

林萍华

总主编

郑大俊　鞠　平

副总主编

吴胜兴　王如高　李乃富

100个／水传说

主 编
张建民
副主编
莫小曼　郑如鑫

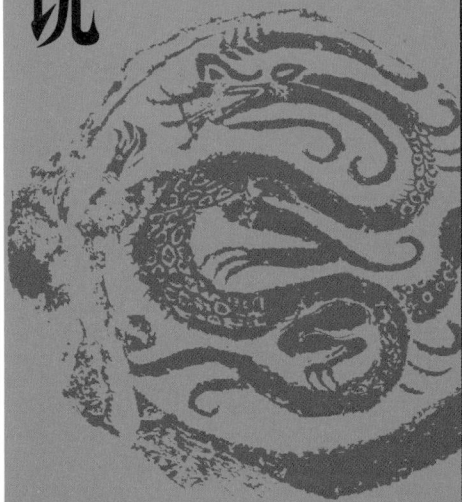

弘扬先进水文化，促进水利事业又好又快发展

——《水文化教育丛书》序言

　　文化是民族的血脉和灵魂，是国家发展、民族振兴的重要支撑。一个民族的文化，凝聚着这个民族对世界和生命的历史认知和现实感受，积淀着这个民族最深层的精神追求和行为准则。党的十七大把文化建设摆在更加突出的位置，对兴起社会主义文化建设新高潮、推动社会主义文化大发展大繁荣作出了全面部署。先进水文化是中华优秀文化的重要组成部分。弘扬和建设先进水文化，为水利事业又好又快发展提供文化支撑，是摆在我们面前的一个重大而紧迫的课题。

　　我国是一个拥有悠久治水历史的国家，在中华民族五千年文明史中，我们的祖先创造了光辉灿烂的水文化。这些文化，有的以物质形态存在，如都江堰、大运河、坎儿井等举世闻名的水利工程，以及水利工程技术、治水器械工具等物质产品；有的以

制度形态存在，如以水为载体的风俗习惯、宗教仪式、社会关系和社会组织、法律法规；有的以精神形态存在，如对水的认识、有关水的价值观念、与水相关的文化心理和文化特征等。这些璀璨的水文化，已经深深熔铸在中华民族的血脉之中，成为民族生存发展和国家繁荣振兴取之不尽、用之不竭的力量源泉。

新中国成立之后，党和国家领导人民进行了规模空前的水利建设，取得了辉煌的成就。特别是 1998 年特大洪水以后，水利部党组认真贯彻落实科学发展观，按照全面建设小康社会和构建社会主义和谐社会的要求，根据中央水利工作方针，认真总结经验教训，尊重基层和群众的实践创造，与时俱进地提出了可持续发展的治水思路，进行了一系列卓有成效的探索，开启了水利实践的新征程，为水文化建设注入了新的时代内涵。人与自然和谐的治水理念、以人为本的治水宗旨，扬弃了我国传统的治水文化观念，体现了科学发展观的要求；一大批水利水电工程的建设，有力地保障了经济社会发展，激发了民族自豪感，为当代和后人积累了宝贵的物质和精神财富；水利科技创新的突破，水利信息化的推进，显著提升了我国水利的科技含量和现代化水平，武装和改造了传统水利；节水防污型社会建设的深入开展，依法治水的不断推进，促进了传统治水方式和水管理制度的深刻变革；"献身、负责、求实"的水利行业精神，"万众一心、众志成城，不怕困难、顽强拼搏，坚韧不拔、敢于胜利"的伟大抗洪精神，体现了民族精神的精华，丰富了时代精神和社会主义核心价值体系的内涵。这是水文化传统与新时期水利实践相结合的丰硕成果，必将永远激励着我们不断奋斗前进。

当前和今后一个时期，是全面建设小康社会的关键时期，也

是传统水利向现代水利转变的关键时期。我们要把科学发展观的根本要求与可持续发展的治水思路的探索实践结合起来,把全面建设小康社会的宏伟蓝图与水利发展的长远目标结合起来,把人民群众过上更好生活的新期待与水利工作的着力点结合起来,进一步增强水利对经济社会发展和改善民生的保障能力,不断创造无愧于时代要求的先进水文化,推动社会主义文化大发展大繁荣。要深入挖掘和弘扬传统水文化的丰富内涵,努力在继承优秀水文化传统的基础上铸造先进水文化;要善于从当今时代波澜壮阔的水利实践中汲取新鲜养分,努力展现先进水文化鲜明的时代特征和强烈的时代气息,更好地适应水利发展与改革的需要;要把培育和弘扬水利行业精神作为建设先进水文化的重要任务,努力把先进水文化更好地融入社会主义核心价值体系之中,激发广大水利干部职工投身水利实践的热情和干劲。

弘扬和建设先进水文化,要坚持研究与教育相结合、普及与提高相结合、继承与创新相结合,向全行业、全社会展示水文化研究成果,普及水文化基本知识,开展水文化宣传教育,不断推动水文化建设在服务水利发展与改革中取得新的实效。我们很高兴地看到,河海大学充分发挥学科优势和学术实力,组织了一批专家、学者,从水利名人、江河湖泊、咏水诗文、城市与水、水工程、水灾害、水用具、水景观、水传说、水歌曲等诸多方面,精心梳理、深入挖掘、全面概括千百年来人类水文化的积淀,编写了《水文化教育丛书》。这套丛书系统地介绍了优秀的传统水文化,宣传了可持续发展的治水思路,展示了水利发展与改革成就,彰显了水利精神,是水利宣传的良好平台、文化传播的优秀载体。希

望以《水文化教育丛书》的出版为契机，把水文化的研究和建设推向一个新的阶段，拓宽水利视野，更新治水理念，弘扬水利精神，推进传统水利向现代水利转变。同时也希望通过广泛而深入的水文化教育，呼唤全社会进一步关注水、珍惜水、爱护水，关心水利、支持水利、参与水利，共同谱写水利发展与改革的新篇章。

陈雷

二〇〇八年三月廿八日

前　言

古今中外，哪里有水，哪里就有关于水的传说。

勤劳智慧的世界各国人民，曾经以大胆丰富的想象，创作了许多生动活泼的水传说，并且已经形成了十分神奇而有趣的文化现象，不分信仰，跨越时空，代代相传，经久不衰。

关于水的各类神话传说故事非常之多，且保存完整，散见于历史与文学的书籍中，流传于坊间百姓的言语交谈中，虽然有某种神奇臆想的色彩，但传达的是劳动人民的智慧与创造，传递的是一种文化现象。水传说内容中所包含的精神、品质、意志、情感、行为等，具有很高的文化价值品位。系统搜集并整理这些关于水的传说，能够帮助我们进一步学习并了解源远流长博大精深的水文化价值。

人类对水的无限崇拜奇妙幻想而精心编织成的神话传说，浩瀚如烟海。我们在现有公开的资料中，按照江、河、湖、海、瀑布与泉的顺序，整理编辑了《100个水传说》。我们觉得，首先，这些水传说，反映了人们对水自然现象的最初认识。人类对于水，既充满感情，又充满畏惧。早期，人们把河流的形成与洪水泛滥，农作物的丰歉，都与想象中的神话以及水、物等图腾崇拜联系在一起，都被看作是老天爷对人类的喜爱或惩罚。先人们在对这些现象进行观察和描述时，没有借助仪器设备，不一定科学正确、合乎常理，而往往是充满幻想及简单幼稚的。但即便如此，现在看来，人类对水事物的这些最初的认识仍然是非常珍贵的。其次，这些水传说，表明了人们对人水和谐的无限向往。水孕育生命，水滋润万物，水带来欢乐，水与人类生活息息相关。所以，在许多水传说中，水是有灵性的，是慈善的，是包容的，也是多姿多彩的，寄托了人们美好的心愿，讴歌了人类与水相安无事并希望永远和谐相处的理想。再次，这些水传说，传颂了人们与洪涝灾害的奋力抗争。人类面对时常发生的洪涝灾害，从来就没有束手待毙，或逃跑躲避，总是全民动员，齐心抗争，并勇于作出牺牲。因此，我们从水传说中，看到了许多战胜水灾害的传奇人物与故事。

水传说理应隶属于水文化。我们现今能够阅读到的各类水传说，一般都以文学的笔触、生动的语言，介绍了江、河、湖、海、泉与瀑布的来源和发展，介绍了活跃于传说中的栩栩如生的各种人、物，水传说都有清晰的时间、地点、人物以及具体形象的故事情节，基本上就是丰富多彩的民间文学故事，如《爱琴海的故事》、《西湖的传说》等，语言描述优美，内容委婉动人，具有一定的艺术表现力与社会影响力。还有一些水传说，尽管一个个故事篇幅并不大，但是具有一定量的历史、地理、旅游以及水利方面的知识信息。例如，过去说到泉水，以为所有的泉水都是一样的，但在《100个水传说》里集中介绍的却有各式各样的泉，有冷泉、雪泉、暖泉、温泉，有蝴蝶泉、玉泉、玉液泉，还有乳泉、水火同生泉等，读者通过阅读和了解，对增加综合知识，拓宽文化视野，是很有意义的。

　　作为水文化教育丛书之一的《100个水传说》，由河海大学张建民、于鑫、王乐、王雪帆、付娆、冯凌芳、刘倩、孙静怡、庄孜、张文婷、吴惠惠、郑如鑫、赵奇、莫小曼、童寅洁、戴静等广泛搜集整理各类资料，最后由张建民、莫小曼、郑如鑫、齐娜统稿完成。限于篇幅，特别是限于资料搜集的难度，可能有大量的有代表性的水传说，还没有被收入书中。书稿借鉴了各国各地网站上的水传说资料，恕未一一标明，谨向原作者表示歉意与敬意。

编　者

2008 年春

目 录

叁 湖

肆 海

伍 瀑布

陆 泉

壹

「江」

1. 长江神女峰的传说

　　长江,又名扬子江,是中国第一、世界第三大河流。长江流域的历史悠久绵长,流域中的云南元谋人化石、安徽和县猿人遗址、江苏青莲岗文化等都表明它是中国文明的起源地。长江流域,既是中华文化的大摇篮和聚宝盆,也是中国神话传说的集散地。特别是长江三峡神女峰的来历,就有一个动人的故事。

　　相传远古时代,在天宫的紫清宫里住着西天王母的第三十二个女儿,名唤紫琼,她貌美如花,心地善良,并且学得一身变化无穷的仙术,被玉帝封为云华仙子,专司教导仙童玉女之职。

　　紫琼生性好动,对人间充满了好奇。终于有一天,她耐不住好奇带着侍从,悄悄地离开了仙宫。她来到浩瀚的大海,在平静的海面上翩翩起舞,长袖过处激起一串串水花,眨眼间又变成了一颗颗耀眼的珍珠落入碧蓝的大海,一串串银铃般的笑声汇聚成一曲美妙的音乐,向大海深处飞去,传入了正在附近巡逻的龙王十三太子安康的耳中。

　　安康是东海龙王的第十三个儿子,风流俊朗、仪表堂堂、生性耿直,负责东海沿海一带的雨水调节。这天他奉父命在东海巡逻,刚刚巡逻完毕准备打道回府之际,海面上突然出现一片振荡,紧接着听到一串串少女如仙乐般美妙的笑声。他循声望去,只见一仙女正在海面起舞,长袖缱绻、腰肢纤柔、面若桃花、形如絮柳,让人心生怜爱。

　　"你是什么人?"安康的思绪被这一声询问打断,恍惚间才发现自己已经在不知不觉间来到了海面。"我是王母第三十二女紫琼,你呢?""我是东海龙王第十三子安康。""哦,我听说过

你，我奉母亲之命来到人间，你可否带我游历一番？""好！"

就这样他们便出东海腾云西去，飞越千峰万岭，阅尽人间奇景，好不欢快。就在他们来到云雨茫茫的巫山上空时，却见十二条蛟龙正在兴风作浪，危害人民。安康大怒，他决心替人间除恶消灾。于是，他纵身一越，跳下云端，与十二条恶龙展开了殊死搏斗。待到风平浪静时，十二条蛟龙的尸体化作十二座大山，堵住了巫峡，壅塞了长江，使得滔滔江水，漫向田园、城郭，今天的四川一带便成了一片汪洋大海。

为治理水患，安康和紫琼没日没夜地施展仙术，来疏通水道。然而，山高水急，开山疏水，谈何容易。安康虽然英勇无比，但在与十二条恶龙搏斗时也身负重伤，又加上劳累过度，最后长眠于此。紫琼对安康本来就一见钟情，后又结伴而行，共同除恶扬善，早已深深地爱上了这个一表人才、正直勇敢的安康。此时安康的离去让紫琼悲痛万分。为了完成安康的遗愿——治理水患，造福百姓，紫琼唤来黄摩、童津等六位侍臣，施展仙术，疏导了三峡水道，让洪水畅流东海。

水患治理好了以后，紫琼将安康葬在长江谷底，整日站在巫山之巅，守护着自己的爱人。久而久之，幻化成一块亭亭玉立的青石。青石旁青烟萦绕，袅袅升起形成一团团青云，霏霏细雨，游龙、彩凤、白鹤飞翔于山峦峡谷之间。美丽动人的紫琼就这样永远留在了巫山。她屹立在巫山之巅，为行船指点航路，为百姓驱除虎豹，为人间耕云播雨，为治病育种灵芝。年复一年，她忘记了西天，也忘记了自己，终于变成了那座令人向往的神女峰，她的侍从们也化作一座座山峰，像一块块屏障、一名名卫士，静静地守立在神女的身旁。

水文化教育丛书

2. 珠江的传说

珠江，在广东省境内，横贯广州市区。关于珠江的来历，还有一个非常奇妙的传说。

古书记载，古时岭南一带属百越，那时有个南越王名叫赵佗。相传赵佗有一镇国之宝——夜明珠，这颗宝珠大而美丽，光彩夺目，其实是天宫之宝，不知何故流落到了人间。赵佗非常喜爱这颗宝珠，死后便用它殉葬。后来赵佗的墓被盗，这颗夜明珠也就流落到了民间。

多年后有一个秀才名叫钱炜，某一年中秋节，他在醉仙楼喝酒看大戏。有个讨饭的老太婆撞翻了酒贩的酒没钱赔，被酒贩捉住打翻在地，无论老太婆如何苦苦求饶，酒贩也不肯善罢甘休。看到这一幕，钱炜动了恻隐之心，拿出钱来帮老太婆赔了酒钱。

其实，这个老太婆并不是普通的要饭婆，而是个神仙假扮的，她叫麻姑，是受玉帝的委派下凡来找寻夜明珠的。当时麻姑已经从民间寻找到了这颗夜明珠，然而未到返回天宫之日，并且还要准备去筹办为王母娘娘祝寿的事。为了保证夜明珠的安全，她正打算在此找一位可靠之人，将宝珠暂时交与他保管。

麻姑见钱炜是个忠厚老实的读书人，就变化成一个过路的商人，路遇盗贼身受重伤到钱炜家暂避。商人在钱炜家养伤时，钱炜竭尽所能为商人治病并且悉心照顾。临行时商人将夜明珠交给了他，并告诉他这是一件价值连城的宝物，务必好好保管，待过些时日会带人来取并有重谢。

当地有一个叫李贵的县太爷。李贵是一个十足的大贪官，不学无术，草菅人命，强抢民女，无恶不作。钱炜得到夜明珠的事情被李贵知道了，他设

4

法要把夜明珠搞到手。他先派人把钱炜请到府中,设酒席款待。酒过三巡,李贵向钱炜说出愿以重金买下夜明珠的想法。钱炜心里早就知道李贵请他喝酒是个阴谋,只是碍于不敢得罪县太爷才来赴宴,现在听说他要买下夜明珠着实吓了一跳。但是钱炜区区一个秀才也确实不敢得罪这位县太爷,只好谎称夜明珠已经丢失。听钱炜这样说,李贵知道钱炜是不肯把夜明珠交出来,于是勃然大怒,把钱炜打了一顿,关进监牢,然后带人到钱炜家里搜走了夜明珠。

没过多久,就有一个波斯商人找到了李贵,说他们的国王丢失了一颗夜明珠,是镇国之宝,跟传说中钱炜得到的宝珠完全一样,愿用十万两黄金买回去。李贵是个见钱眼开的人,一听说有人出这么大的价钱便欣然同意。

波斯商人得到了夜明珠,便满心欢喜地连夜启程回国。当天晚上,当船离开了码头,行驶在景色迷人的江中时,波斯商人再也禁不住欣喜之情,把宝珠拿出来放在手心上观赏,那夜明珠的光芒真是太亮了,把船四周的江面都照亮了。

猛然间,狂风大作,白浪翻腾,暴雨倾盆,航船颠簸起来。波斯商人正想把宝珠放回箱中,说时迟那时快,一道白光从他掌心冲起,再如利箭般射入江中。宝珠在江中旋转着,搅起一个巨大的漩涡,随后钻入商人泊船的巨石下面,不见了踪影。

没过多久就有消息传出,县太爷李贵被皇上派来的钦差大臣绳之以法,而秀才钱炜却中了状元。

自从夜明珠钻入江中那块巨石底下之后,每到晚上,这块巨石就会隐隐放出光来。后人把这块巨石叫作海珠石,从此这条江也就被命名为珠江了。

³· 富春江的故事

　　碧波粼粼的春江水，流到富阳城的东门外，被一座小山堵住，江水折向东南，形成一个大漩涡。漩涡一直往江底旋，长年累月，钻出了一个深潭，叫做龟川潭，直通东海。

　　据说龟川潭里住着一只老龟，每当秋月皎洁、风平浪静之时，老龟就会浮出水面，啜吸水中月影，这便是富春江八景之一的"龟川秋月"。而这座横截大江的幽雅小山，远远望去，像一只涉水觅食的鹳雀，因而得名叫"鹳山"。

　　有一天，龟川潭来了一只乌龟精，乌龟精害死了原先的老龟，占潭作怪。龟川潭的东边有座覆船山，山里住着一个老渔夫和他的老伴。一天他打鱼归来，路过鹳山，见路边躺着一个啼哭的男婴儿，顿生怜爱，就抱回家抚养。老夫妻意外得子非常高兴，于是给孩子取名叫天赐。天赐从小就非常懂事，谁见了都夸赞，只可惜他不会说话。

　　那时候，富春江的船户渔家，每逢八月十五都会举办盛大的"水上灯会"。天赐扎的彩灯，不论飞禽走兽、花草树木，还是龙鱼虾蟹都惟妙惟肖，在当地很有名气。

　　东海龙王有个身体里藏着宝珠的女儿，龙王非常宠爱她，给她取名叫珠儿公主。这一年，珠儿听说了鹳山的水上灯会，非要去看灯不可。老龙王只好答应她，但关照她必须速去速回不能惊动人间，藏在心窝里的那颗宝珠，千万不能丢失，否则，就不能回到龙府来了。

　　放灯这天，太阳还没有落山，鹳山上却已是人山人海了。珠儿打扮成渔

家女模样，喜孜孜地出了龟川潭，登上鹳山。

那天，天赐扎了十二朵月令花灯，插在船上，船头高悬一盏仙鹤灯，伸头摆颈，展翅欲飞。珠儿摘下一片竹叶，化作一叶小舟，乘舟而行。这时，碧波桥下荡出天赐的船来，岸上游人追逐观看，赞声不绝。"好一盏仙鹤灯呀，黑脚趾，黄钩爪，丹红冠，素白羽毛，独立花丛，人间真有这等好手?"珠儿看见船上是个英俊小哥，存心和他开玩笑，便纵身跳到天赐的船上，只看得天赐耳热脸红。珠儿向他打招呼，他只是拱手还礼嘴里"呀呀"两声。此时珠儿恍然明白，原来这位小哥是个哑巴。珠儿打起双桨，花船向江心漂去。时近三更，一江灯火顺流而下，汇集在龟川潭飘荡旋舞，热闹极了。

突然，水面涌起一股恶浪。原来热闹的水上灯会把潭里的乌龟精给惊动了。霎时间，阴风四起，打散了游船，吞没了满江灯火。乌龟精乘恶浪来到花船边，一个浪头就把仙鹤灯打入水里，天赐手急眼快，拔起撑篙，"砰"的一声，击中乌龟头，乌龟精大怒，一下子掀翻了小船。

珠儿当然不要紧，可天赐虽识水性，但卷入龟川潭，也只有死路一条。眼看天赐生命垂危，急得公主顾不得老龙王的嘱咐，从心窝里掏出宝珠，向乌龟精砸去。霎那间宝珠发出一道寒光，刺向乌龟精。乌龟精逆水而逃，一直逃到青江口，爬进湖源溪，缩着脑袋伏在沙滩上，一动也不敢动。后来，它慢慢变成一座山，这就是乌龟山。

就这样，珠儿没有回龙宫，而是留下来治好了天赐的哑疾，嫁给了天赐，并且守护着龟川潭的平静。富春江的船户渔家知道是珠儿公主给他们带来了福缘，就把那覆船山改名为"福缘山"。后来，人们还在山上建了一座"福缘塔"，来纪念除恶治病、降福人间的珠儿公主。

4. 赣江十八滩的传说

在赣江上游近 150 千米的江中,兀立着十八座巨大的石头,那里水流湍急,漩涡密布。来往船只经过,都得格外小心,稍不留神就会船翻人亡。这就是有名的赣江十八滩。关于赣江十八滩的传说,也向人们展示着我国人民自古以来与水结下的不解之缘。

传说,赣江原来江道通畅,并无十八滩。唐朝初年,虔州(即今赣州)盘踞着一伙割据势力,以百胜军防御使周光为首。周光企图据虔州称王。

天庭中有一位南华仙人,专司世间山川河流的管理。他手中有一根赶山鞭,有移山填海之功。一次南华仙人私自下凡,路经虔州,遇见周光。周光并非一般凡人,他精通法术。虽然南华仙人乔装打扮,仍被周光认出。周光知道南华仙人深通地理之术,便求南华仙人看看虔州的风水如何,是否可筑皇城而称王。

南华仙人受托踏看地理,见虔州三面环水,城形就像一只硕大的金龟,城郭四周的十条山脉由远处起伏而来,宛如十条青蛇,远远望去,犹如"十蛇聚龟",是块极佳的风水宝地。然而,美中不足的是,章、贡二水在虔州城北合流为赣江,滔滔江水直朝北方奔流,江面太宽,水流太大,风水都随这江水给流走了。周光问:"有何办法?"南华仙人答:"有,只要在城北二十里地的储潭将赣江江面堵窄一点,使赣水水流小些,虔州城便可成为京城。"周光称王心切,一面令人筑皇城,一面请求南华仙人作法堵水,以图皇城筑好之日,也正是江水堵成之时,便可称王了。

南华仙人自知私自移山乃触犯天规的大罪，不肯答应为周光作法堵水。周光见明请不行暗生一计，当夜，周光请南华仙人到府中做客。席间美酒佳肴款待，南华仙人没有戒心，误食周光精心准备的仙人醉，大醉不醒。

趁南华仙人醉酒，周光偷偷带着赶山鞭匆匆起程，赶往华山。在那里他采选了十八块像小山一样的巨石，然后作起法来，顷刻间十八块巨石变成了十八只活蹦乱跳的小兔子。周光挥动赶山鞭，十八只小兔前前后后往虔州方向奔跑。赶呀，赶呀，周光因来回奔波，已觉周身疲乏。恰好路过一处松软的沙滩，心想，反正离虔州已不远了，不如在此休息一下再走，于是便躺下小憩。不想这一躺，他便不知不觉朦朦胧胧地睡着了。

这时，正好观音菩萨路过，远远看见一群小兔往赣江上游奔跑，觉得奇怪，留神一看，原来是一些石头，心想："谁赶这些石头来？"于是摇身一变扮作一村妇模样在河边洗衣，看看是谁作法赶石。

再说，周光一觉醒来，见"小兔"已跑得无影无踪了，于是沿江追赶。追至一处，见一村妇埋头在河边洗衣，便问："大嫂，你可曾见得一群小兔经此跑过？"村妇站起来，上下打量了一下周光，见并不是管理山川的南华仙人，答道："不曾看见有什么小兔经过，倒看见上游有好些石头！"周光听后，知这村妇并非凡人，赶山之事已败露，转身便跑。周光虽精通法术，但毕竟是个凡人，哪里跑得掉，被观音菩萨收了赶山鞭，废了身上的法术，灰溜溜地逃走了。

那十八只在江边边蹦跳边奔跑的小兔被观音菩萨点化，变成了十八块巨大的石头滚入江中。从此以后，赣江中从万安至虔州一段就有了这十八处险滩。

5. 湘江的故事

相传尧舜时代,湖南九嶷山上有九条恶龙,住在九座岩洞里,经常到湘江来戏水玩乐,以致洪水暴涨,庄稼被冲毁,房屋被冲塌,老百姓叫苦不迭。舜帝关心百姓疾苦,当他得知恶龙祸害百姓的消息后,寝食难安,一心想到南方去帮助百姓除害解难,惩治恶龙。

舜帝有两个妃子——娥皇和女英,是尧帝的两个女儿。她们虽然出身皇家,又身为帝妃,但由于深受尧舜的影响和教诲,并不贪图享乐,常将百姓疾苦挂在心上。对于舜的这次远行,尽管她们也有许多不舍,但是,想到为了给湘江的百姓解除灾难和痛苦,她们还是强忍着内心的离愁别绪送舜上路了。

舜帝走后,娥皇和女英在家等待着他征服恶龙、凯旋而归的喜讯,日夜为他祈祷。可是,一年又一年过去了,舜帝依然杳无音信,她们担心了。娥皇说:"莫非他被恶龙所伤,还是病倒他乡?"女英说:"莫非他途中遇险,还是山路遥远迷失了方向?"她们二人思前想后,认为与其呆在家里久久盼不到音讯,还不如前去寻找。于是,娥皇和女英跋山涉水,到湘江去寻找丈夫。

一番艰苦跋涉,她们终于来到了九嶷山。她们沿着大紫荆河到了山顶,又沿着小紫荆河下来,找遍了九嶷山的每个角落,仍然没有舜帝的踪影。一天,她们来到了一处名叫三峰石的地方。这儿,耸立着三块大石头,翠竹围绕,有一座珍珠贝垒成的高大的坟墓。她们感到惊异,便问附近的乡亲:"是

谁的坟墓如此壮观？三块大石为何险峻地耸立？"乡亲们含着眼泪告诉她们："这便是舜帝的坟墓，他老人家从遥远的北方来到这里，帮助我们斩除恶龙过上了幸福的生活，可是他却流尽了汗水，费尽了心血，最终死在了这里。"原来，舜帝病逝之后，湘江的父老乡亲们为了感激舜帝的厚恩，特地为他修了这座坟墓。九嶷山上的一群仙鹤也为之感动了，它们朝朝夕夕地到南海衔来一颗颗灿烂夺目的珍珠，撒在舜帝的坟墓上，便成了这座珍珠坟墓。而那三块巨石，是舜帝除灭恶龙用的三齿耙插在地上变成的。娥皇和女英得知实情后，难过极了，二人抱头痛哭起来。她们一直哭了九天九夜，把眼睛哭肿了，嗓子哭哑了，眼泪流干了，最后，哭出血泪来，也死在了舜帝的旁边。

娥皇和女英的眼泪，洒在了九嶷山的竹子上，竹竿上便呈现出点点泪斑，有紫色的，有雪白的，还有血红血红的，这便是"湘妃竹"。有的竹子上像印有指纹，传说是二妃在竹子上抹眼泪印上的；有的竹子上有鲜红鲜红的血斑，便是两位妃子眼中流出来的血泪染成的。

舜帝热爱保护水资源、拯救黎民百姓的壮举，最终成为一则美丽的传说流传至今。

水文化教育丛书

6. 乌江的传说

兼纳百川，蜿蜒曲折1 000多千米的乌江，为长江上游南岩最大的支流。源远流长的乌江在这里孕育出独特的集山、水、洞为一体的自然景观群，成为贵州省不可多得的、亟待开发的旅游风景区。滚滚乌江，在沿河境内形成100千米的天然山峡长廊。"江作青罗带，山如碧玉簪。"清清的江水在曲静幽深的五个山峡里，时而恬静温存，时而奔放不羁。两岸翠绿葱郁，山峦叠嶂，奇峰对峙，各显神姿。乌江诸峡既和谐统一，又各具特色。

关于乌江的由来，自然也有一个古老而神秘的传说。

据说在很久以前，云贵高原上有一条峡谷——夹石峡，高山齐云，蓝天一线，峡风呼啸，江涛逼人，景观奇美，为诸峡之冠；一条小溪在穿过这个峡谷后，变成了一条大河。大河两岸山清水秀，百花盛开，风调雨顺，四季如春。这里居住的都是土家人，男耕女织，五谷丰登，六畜兴旺，没有战争，没有贫穷，生活美满幸福。

有一天，玉皇大帝觉得在天庭里呆闷了，就幻化成一书生，带着侍从下凡来游玩。当他来到云贵高原时，见到这里的人们安居乐业，大地百花盛开、万紫千红、莺歌燕舞，赛过了天庭，恼怒万分。于是玉皇大帝立刻降旨，

叫来东南西北四海龙王，命他们用洪水淹没大地，摧毁人间家园。

顷刻之间，电闪雷鸣，大雨倾盆，连续七七四十九天，江河猛涨不止，村庄被淹没了，房屋被冲走了，大地一片汪洋。土家首领带领部族急忙攀登到河边最高的一座山峰——珠瑙岩上焚香祈拜，祈求上天诸神向玉帝求情。

面对这样的情景，当年炼石补天的女娲娘娘再也看不下去了。她一方面去找玉皇大帝求情，一方面派自己的侍女嫣然带着一株可以吸水固土的宝树——千年乌阳树，到人间去拯救万民。嫣然来到人间，将乌阳树插到河岸边的一块高地上，念起了咒语。乌阳树听到咒语，迅速地生长起来，眨眼间，变成了一棵参天大树。见乌阳树长大了，嫣然又念起了一支咒语，听到咒语，乌阳树立刻鼓足了气开始吸水，一口气吸了七天七夜，迅猛的洪水渐渐有所平息。

女娲娘娘来到天庭，见到玉皇大帝，陈述了人间的疾苦，请求玉帝收回成命。玉帝知道女娲娘娘乃是大地之母，此次贸然降水也确实是自己的一念之差，事后觉得做得有些过分，现在女娲娘娘前来求情，顺便就找个台阶下了吧。于是他便下令召回了四海龙王。

洪水渐渐退去了。但大河两岸的鲜花没有了，村庄没有了，房屋也没有了，只剩下大河西岸的乌阳树。为了保佑这里的人们不再遭受洪水的蹂躏，女娲娘娘把乌阳树留了下来，让它吸水固土，保护这里的百姓。直到今天，虽然乌阳树的根被洪水冲刷得全裸露在地面，但它还是顽强地生长着，像一个站岗放哨的卫士矗立在大河的西岸。这次洪水以后，乌阳树坚韧顽强、千年不枯的精神一直激励着土家人民在最艰难的环境中生存繁衍。人们对它敬若神明，就把它身边的这条河取名叫作乌江。

7. 牡丹江的传说

相传在很多很多年以前,长白山上来了一条毒蛇,它身子长、有力气,却净做坏事,走路故意卷起狂风,把树木刮倒,把庄稼刮平,把人和牲畜抛上天空,然后掉下摔死。更气人的是,它用身子把天池的出口堵起来,一滴水也不让往下流,留着独自享用。没有了水,花草、树木枯黄了,庄稼枯死了,雀鸟飞走了,牲畜渴死了,万里一片焦土。人们没吃没喝,不得不背井离乡。

人们日夜盼望着天池里的水能流下来,可是那条凶狠的毒蛇总是守在天池边,很多好汉去跟它搏斗争水,都被它吃掉了。

在长白山脚下,有个松树村,村里有个七岁的小姑娘名叫珍珠。她聪明机智、沉着勇敢,从小就暗暗下了决心,一定要练就一身本事,长大了好去杀死毒蛇,把天池里的水放下来,让人们过上幸福的生活。

小珍珠特别能吃苦,不论是炎热的夏天,还是寒冷的冬天,她每天都要顶着星星起来,在石壁上练拳术,迎着风练射箭。后来村里来了一位老者,见到认真练功的小珍珠,老者点头称赞,送给小珍珠一把宝剑。为了鼓励她继续苦练,还把珍珠的名字改为"牡丹"。"牡丹"两个字,在当地民族的语言中是"曲折"的意思,告诫珍珠要经受住曲折的考验。

春去秋来已经十个轮回,牡丹从没间断过练功,她的武艺练得十分了得,挥拳能击碎石壁,放箭能射断空中的细线,可是她并没有满足,还是继续苦练。

就在牡丹十七岁那年，毒蛇开始变本加厉地为害村民。牡丹的功夫也练得差不多了，于是她背起弓箭，带上宝剑，向长白山顶上走去。牡丹走得脚上起了泡，腿疼腰酸，可是她不泄气，一想起就要有水流下山，山下又可以看到碧绿的麦田、鲜艳的花朵，她就有使不完的劲。

走了三天三夜，牡丹终于到了长白山顶，一眼就望见毒蛇卧在天池边。它饮着清凉的水，尾巴也泡在水里边，那样子真是悠闲。它身旁是堆堆白骨，到处扔着生锈的刀剑。这情景让牡丹怒火冲天。都是这个恶魔，霸占着天池里的水，让大地荒芜，害死了无数的乡亲。想想自己这么多年风风雨雨地苦练，今天一定要杀死这个恶魔为乡亲们除害！

牡丹躲在岩石后面，从身上取下弓箭，瞄准长虫，嗖地射出了一箭。这一箭不偏不斜，正好射穿了毒蛇的右眼。毒蛇疼得在地上打滚，凶猛地扑向牡丹。牡丹双脚一跺，跳到了对面的山头上。毒蛇张开血盆大口吼叫着冲过来，要把牡丹吞进肚里。姑娘灵巧地闪到一边，就势向上一跳，跳到毒蛇的脑袋上，拔出老人送的斩妖宝剑，挥剑猛砍。毒蛇又蹦又跳，摆头甩尾，要把牡丹从头上摔下来。牡丹牢牢地抓住毒蛇的头，一剑接着一剑地猛砍，就这样从山上杀到山下，从这山杀到那山，只杀得天昏地暗，树倒山颤。搏斗了七天七夜，牡丹没喝一口水，没吃一粒饭，可是她想起山下村民期盼的目光，就勇气倍增。

后来她想出了一个绝招儿。当毒蛇张着大嘴向她扑来时，她手握宝剑，嗖地一下，钻进了毒蛇嘴里面。牡丹从毒蛇嘴里钻到了肚里，把手中宝剑猛地往下一插，宝剑戳透毒蛇肚皮，剑尖儿插进地里，毒蛇疼得猛地向前一蹿，锋利的宝剑把毒蛇的肚子全都剖开了。毒蛇哀叫几声，死了。

牡丹从毒蛇肚里爬了出来，见到毒蛇死了，终于长长地喘了一口气，眼前一黑，昏倒在山坡上了。由于伤势过重，她再也没能醒过来，长眠在了天池旁。百鸟飞来为她歌唱，山风吹来为她奏乐，百花也为她盛开了。天池里的水，欢蹦乱跳地流下了山，流进池塘里，流进田野里，流进花丛中。

天池里的水流下来了，流成了一条美丽的江。乡亲们为了纪念牡丹，就把这条江命名为牡丹江。

人们为水的战斗就这样取得了巨大的胜利。

水文化教育丛书

8. 黑龙江的由来

　　黑龙江,世界著名大河之一,因江水深绿而带黑,河身蜿蜒如龙而得名。相传在远古时期,黑龙江并不叫现在这名,而是叫清平江。

　　不知什么时候,清平江里来了一条白龙,从此以后清平江就不再平静了。白龙一不高兴就兴风作浪,方圆百里,一片汪洋,百姓生灵涂炭。而且每年白龙都要让江边的百姓进贡食物,还必须献出几对童男童女,否则,就发洪水相见。

　　清平江边住着一户姓王的人家。夫妻俩非常恩爱,可无奈王妻总是没有身孕,二人很是着急。这样一直过了二十个年头,王妻终于产下一子。这本来是件非常高兴的事,可是老两口却高兴不起来,原因就是李老汉的妻子产下的儿子不同寻常。他身体粗壮、浑身油黑不说,最让人无法接受的是他居然长了一条尾巴,村民都说这是个妖怪,劝王老汉把他投入江中。但毕竟是老来得子,老两口实在舍不得,就这样勉勉强强地把这个长着尾巴的小孩留了下来。

　　这个孩子的确与众不同,一出生有个最大的特点就是特别能吃,他一顿的饭量够普通的孩子吃五顿。王妻的奶水根本不够,夫妻两人四处为儿寻奶吃,好不辛苦。不久,王老汉的黑胖儿子便会走路,会说话了。他还经常帮助父母做家务,帮邻居干活,渐渐地大家开始喜欢他了。

　　一日,黑小子在母亲怀中吃奶,不一会儿便进入了梦乡。他现了原形,一条又黑又长的龙尾巴伸到门槛边。王老汉种完地回家,开门一看,见一又长又黑的怪物趴在妻子的怀中,拿起菜刀就要砍。

这时空中传来一个声音——"刀下留情",王老汉一愣,只见观音菩萨站在了自己的面前。观音菩萨告诉王老汉:这条小黑龙是奉旨下凡来拯救村庄的,现在小黑龙还没有长大,不能去找白龙决斗,你们老两口要好好照顾小黑龙。

就这样,夫妻两人悉心照料着小黑龙,又过了五年,小黑龙长大了。有一天小黑龙跪倒在王老汉夫妇面前向老两口辞行,因为他现在要去完成他来到人间的使命了。

小黑龙来到江边,一跃跳入江中,开始了和白龙在江中的战斗。怎奈小黑龙年纪小,总是力不从心,几百个回合下来还是没能打败白龙,而且还被大白龙咬得遍体鳞伤。这时,王老汉带着全村的乡亲们赶来了。众百姓拿出许多馒头、包子、牛羊、鸡鸭喂给黑龙吃。黑龙吃饱了,喝足了,精神百倍,斗志昂扬,又一次投入了与白龙的战斗。

他们从水里打到天上,又从天上打到水里。地面上百姓给黑龙助威加油的声音响彻云霄,透彻水底。白龙与黑龙打得天昏地暗,从早到晚,一直没有停止,足足打了七天七夜。人们无一散去,都盼望着黑龙胜利的结局。

最后黑龙终于把奄奄一息的白龙扔到了地面上,岸上的百姓蜂拥而上,举起石头,挥起大刀冲向白龙,片刻之间将他砸成了肉酱。白龙死了,小黑龙就留在了江中,守护着这条江,为人们送去风调雨顺的好年景。为了表达对黑龙的尊敬,人们把清平江改名叫黑龙江。人们也与黑龙一起为保护这条江、为保护水资源而努力着。

9. 金沙江的传说

金沙江发源于青海境内唐古拉山脉的格拉丹冬雪山北麓，是西藏和四川的界河，长江上游。如同它的名字一样，金沙江也有着一个动人的传说。这个传说向世人传颂着人们热爱水资源的情愫。

很久很久以前，金沙是一个既美丽又聪明的姑娘。她有两个姐姐，大姐叫怒江，二姐叫澜沧江。三姐妹朝夕相处，十分亲密。但是好景不长，有一天她们得知父母要把她们嫁往西边。三姐妹很不乐意，商量以后便决定离家出走，到红太阳升起的地方去寻求自己的幸福。父母亲知道以后，马上派了她们的两个哥哥玉龙和哈巴前去拦阻。当三姐妹走到丽江白沙的时候，猛然发现两个哥哥早已等在前面的路上，不过玉龙已经睡着了。该怎么办呢？大姐怒江说："我们不是哥哥们的对手，继续往东走会被他们拦住的，不如还是到南面去吧！"二姐澜沧江也附和着大姐，但金沙姑娘却执意要去东方。于是大姐二姐急匆匆地赶往了南方，只有金沙姑娘一个人留在原地。聪明的金沙姑娘想了又想，然后开始一支歌接着一支歌地唱

了起来。优美动听的歌声像甘醇的美酒陶醉了哈巴的心，哈巴也渐渐地进入梦乡。于是金沙姑娘乘机悄悄地从两个哥哥的脚掌之间跨过，奔向了她梦寐以求的东方。

玉龙醒来以后，发现三妹早已走过，气得要砍下哈巴的头。不一会儿，跟随在后面捡拾金沙姑娘掉落在地上珠宝的魔王来到玉龙和哈巴面前，兄弟俩便和魔王大战起来。不幸的是，在激烈的战斗中，哈巴的头被魔王砍飞了。悲愤中，玉龙与魔王又继续搏斗了三天三夜，砍损了十三柄宝剑，才将魔王杀死。面对死去的兄弟，玉龙禁不住悲从中来，泪水哗哗地流了下来。回去怎么对父母说呢？就在这瞬间，兄弟两人都化作了高耸的雪山，只是没有头的哈巴要比玉龙矮一截，他俩之间形成了一个巨大的峡谷，这就是雄伟的虎跳峡。金沙姑娘走过的路盛满了玉龙的泪水，这就是著名的金沙江。而美丽的金沙姑娘则历经千辛万苦，终于来到东面的大海之畔，和英俊的东海王子见面，找到了自己幸福的归宿。

10. 澜沧江的故事

　　澜沧江是一条重要的国际河流,在东南亚被称为湄公河,全长4 500千米。为了保护这里的水资源,从古到今,人们都作出了不懈的努力。

　　有这样一则民间传说。从前在澜沧江中有一个水怪叫缅沙,这个水怪极其凶恶残忍,时常卷食在江边打水的人和饮水的动物,就连野象这种庞然大物也不例外。

　　一次,有头母象带着不满一岁的小象到江边饮水。顽皮的小象只顾玩耍,不顾象妈妈的劝阻,在江边的浅水中东奔西跑,戏水取乐。这时,水怪缅沙发现了小象,于是在江底迅速地移动,偷偷地接近了小象。只听"哗啦啦"一声水响,在浅水中嬉戏的小象便被卷入了一个巨大的水涡,迅速沉向了江底。小象被水怪掳走,母象发了疯似地在江边狂奔怒吼,那悲惨的叫声传入森林,引来了无数散布在两岸密林中的野象。不到半天时间,江边的野象已是黑压压一片。象群知道母象哀鸣的原因后便一起对着江水怒吼。

　　野象震天动地的吼声,冲向云霄,惊动了正在附近巡逻的南海龙王三太子。三太子循声赶来,看到象群在水边哀鸣不知发生了什么事,就向野象首领询问。当他知道江水里有水怪作怪经常掳走附近的人和动物,这次又卷走了小象后非常气愤,决心要救出小象惩治水怪,还附近的居民和森林的动物们一个宁静的生存环境。

三太子带领着野象们先是向水中怒吼了一阵，然后告诉群象用象鼻卷起岸边巨石，抛向江心，自己则纵身跳入江中准备与水怪贴身肉搏。霎时间，几百米宽的江面上，到处是石块落水的"哗哗"声。不计其数的巨石如冰雹般砸入江底，砸得江中的水怪难以藏身。

　　眼见三太子追了上来，被缅沙卷着的那头还没来得及被其受用的小象挣离了江心，向下游逃去。三太子一个跟头翻到了水怪的前方挡住了它的去路。水怪见逃不脱只好硬着头皮与三太子交手，但几个回合就被打翻了。水怪自知不是三太子的对手，又掉头滑向一片布满礁石的浅滩。

　　站在礁石附近的野象，看见一团灰黑色的东西在礁石附近游动，知道是被三太子打得无处可逃的水怪。于是发出一阵怒吼声，一齐冲入江水中，用象鼻扭住怪物软绵绵的躯体，你拉我扯，硬把那怪物席状的躯体拉扯开来铺在地上。

　　三太子追赶上来，只见那怪物身上到处是眼，气息全无。母象拥着象儿在一边悲鸣。愤怒的野象们扭着那又宽又长的"缅沙"撕拉翻甩，当那怪物被弄得不能蠕动时，野象们又你踩我跳，把它撕成碎片、踏成肉泥。就这样，水怪在龙王三太子和象群的联手打击下死去了，再也不能为害这片水域的生灵了。

　　自从缅沙被不计其数的野象在江边弄死后，人们的生活也太平了，于是人们就把这条用乳汁哺育了无数野象的江称为澜沧江。澜沧江又称南兰章，而兰章就是野象之意。

11. 嫩江的故事

嫩江,发源于伊勒呼里山,向南奔流汇入松花江,古时又称难水、难河、那河、纳水、脑温、诺尼、嫩尼等。《黑龙江志稿》中有这样的记载:"嫩江译为妹江,嫩在满洲语义中为姐妹之妹。"嫩江一名始于清代,因江水清澈碧绿而得名。

古老的嫩江,静谧而幽远。从商周时期开始,这里曾居住过秽貊族人、夫余族人、豆莫娄族人、室韦族人、女真族人、蒙古族人等东北少数民族。历史一页页地翻过,朝代更迭、风云变幻。

嫩江依然静静地流淌,延续着自己的故事,流传着一个个美丽的传说,其中有两个传说最为动人。

第一个是爱的传说。

在很久很久以前,嫩江西岸有个牧羊姑娘叫齐齐喀(满语汉意是"鸟儿")与东岸一个小伙子叫乌拉倭赫(满语汉意是"江石")相爱了。

在一个初秋的黄昏,月牙弯弯地挂在树梢上,乌拉倭赫和齐齐喀并肩坐在河边,乌拉倭赫摘了一片杨树叶吹着动人的曲子给齐齐喀听,两个人陶醉在幸福甜蜜的气氛里。

这时有一个老巫婆经过,发现了这对幸福的人儿顿生妒意,她不能容忍别人幸福快乐地在一起,于是她开始作法。

霎时间,江面上突然狂风大作,浪高三尺,急风大浪将小伙子卷走了。牧羊姑娘流着泪在波涛中呼喊寻找了七天七夜。第八天,当太阳升起时,曙光照亮了江边许许多多的江石,江石里闪动着的竟然是小伙子微笑的面容。姑娘泪流满面,她拣起一块江石放在自己的脑门上,忽然化作一只美丽洁白的丹顶鹤,从此整日围着江石叫"乌拉倭赫"、"齐齐喀"……从此又有了这样的说法:精美的嫩江石会唱歌。

另外,嫩江石的传说多与美丽的丹顶鹤紧密相连。第二个传说就是这样的。

古时在北方有一条江,是王母娘娘的七个女儿下到凡间沐浴的地方。有一次,七个仙女下凡洗浴,玩得开心着了迷,竟连返回天宫的时辰都忘了。姐妹们看天色已晚,便匆匆穿衣飞向天宫,忙乱之中将颈珠丢落在嫩江岸边,后来这些颈珠就变成了嫩江石。

最小的仙女七妹因依恋凡间景色迟了一步,无法返回天庭,急得她在江岸边哭了起来。这时一只仙鹤飞了过来安慰她,并且将她送回天宫。小仙女十分感谢仙鹤,便将手指上的红宝石戒指摘下戴在仙鹤的头上。从此,鹤类中就有了一种有这种红宝石脑门的仙鹤,人们叫它丹顶鹤。

12. 钱塘江的故事

水文化教育丛书

钱塘江是浙江省最大的河流，也是全国著名的河流之一，古称浙江、罗刹江和之江。发源于安徽省休宁县龙田乡青芝埭尖。钱塘江奔流 600 千米，在海盐县澉浦注入杭州湾。由于入江口平面呈巨大的喇叭形，海潮倒灌，潮水汹涌澎湃，遂形成天下奇观——钱塘江大潮。

钱塘江大潮如此壮观，在民间自然少不了有趣的传说。

很久以前，钱塘江边住着一个大力士，这个人十分高大，一迈步就从江的这边跨到了江的那边。他常在萧山县境内的蜀山上，引火烧盐。人们不知道他叫什么名字，因为他住在钱塘江边，就称他为钱塘神。钱塘神力气十分大，他常常用自己的铁扁担挑些大石块来放在江边，过不多久，就堆起了一座一座的山。

一天，他去挑自己在蜀山上烧了七年零七个月的盐。可是，这些盐只够他装一头，因此他在扁担的另一头系上了一块大石，放上肩去试试正好，就挑起来，跨到江北岸来了。

这时正是三伏天，天气特别热。钱塘神吃过午饭，有些累了，便放下担子歇歇脚，没想到这一歇竟睡着了。正巧，东海龙王这时出来巡江，接着潮水也涨了起来。潮水涨呀涨地，竟涨到岸上来，慢慢地把钱塘神的盐山都溶化了。

东海龙王走累了,心想不如喝口水润润喉咙再走。可这一喝不要紧,差点把东海龙王咸死。水里哪来这股咸味呀,龙王觉得奇怪,又尝了几口,谁想一口比一口咸。龙王不知道发生了什么事,返身就逃,没想逃到海洋里后把海洋的水都弄咸了。

再说这位钱塘神,一觉醒来,两眼一睁,看见扁担的一头还放着碇石(就是现在有名的碇石山),而另一头的盐却没有了!钱塘神找来找去也找不着盐,急得跳到了江里,不小心摔了一跤,灌了一口江水,发现江水里有咸味,这才恍然大悟:哦,怪不得盐没有了,原来被东海龙王偷去了。于是他举起扁担就开始打海水。一扁担打下去,海里鱼儿都被震死了;两扁担打下去,海底龙宫都快震塌了;三扁担打下去,东海龙王再也受不了了,赶紧冒出水面来求饶命。

东海龙王战战兢兢地问钱塘神,究竟为什么发这样大的脾气。钱塘神说:"你把我的盐偷到什么地方去了?"东海龙王这才明白海水变咸的原因,连忙赔了罪,就把自己怎样巡江,怎样把钱大王的盐无意中溶化了,使得海洋的水也咸起来的事情一一说了。

钱塘神一想自己花了七年零七个月辛辛苦苦烧出来的盐就这样没了,心里这个气呀,举起铁扁担,就要把东海龙王打死。

东海龙王吓得连连叩头求饶,并向钱塘神保证用海水晒出盐来赔偿钱塘大王;以后涨潮的时候就叫起来,免得钱塘神再睡着了听不见。钱塘神听听这两个条件还不错,便饶了东海龙王,把自己的扁担向杭州湾口一放,说:"以后潮水来时就从这里叫起!"东海龙王连连答应,钱塘神这才抚平怒气走了。

从那个时候起,潮水一进杭州湾,东海龙王就伸起脖子,"哗哗哗"地喊叫着,涨到钱塘神坐过的地方,脖子伸得顶高,叫得顶响。这个地方就是如今的海宁。举世闻名的"钱塘江大潮"就是这样来的。

这个传说在介绍钱塘江大潮气势磅礴、堪称天下奇观的同时,似乎也在向人们讲述着它的文化渊源。

13. 乌苏里江的故事

　　乌苏里江,黑龙江的重要支流,由乌拉河和道比河汇合而成。乌苏里江原是我国的一条内河,但自从清政府与沙俄签订了不平等的《北京条约》以后,乌苏里江就成为中俄的一条界江,在俄罗斯境内称为阿穆尔河。

　　大马哈鱼是回游性鱼类,在黑龙江、乌苏里江产卵,卵孵出的鱼苗又回到海里生长,如此往复,生生不息。这种鱼的学名是鲑鱼,大马哈是民间传说,是老百姓给取的名字。关于这个名字的由来,有这样一段历史传说:清朝乾隆年间,黑龙江和乌苏里江是中国的两条内河,两岸自然资源丰富,远离政治、交通中心,这里生活着的汉、满、赫哲等民族的人民或以渔猎为生,或种植庄稼,生活相对富足而平静。可这时俄罗斯沙皇将侵略的铁蹄伸向了这块乐土,派兵打了过来,并占领了这里。侵略者枪杀中国百姓,抢夺财物,驱赶中国人,无恶不作。乾隆皇帝得知后,立即派白马大将军前来征讨,几万大军浩浩荡荡,跨过乌苏里江,横扫沙皇军队,把他们撵得没了踪影。

那时的乌苏里江江东人烟稀少，很多地方十分荒凉，周围高山耸立，密林遍布，交通相当不便，与内地的联系受阻，补给运不上来，几万大军的粮草接济不上了。几万人马在这荒僻的山野之中面临断粮的危险，为此白马将军十分犯愁。

初秋的一天，清军已经断粮了，这时俄罗斯沙皇军队又要卷土重来，情势万分危急。后来，龙王爷知道了当时严峻的情况，便紧急下令海中各种大鱼全都进入乌苏里江以解白马将军之难。各种大鱼得令，成群结队地奔赴乌苏里江。白马将军正值一筹莫展之际，忽听乌苏里江水声大作，翻波涌浪，只见江中全是活蹦乱跳、又肥又大的鱼儿，白马将军立即命令士兵下江捕捞，捕出的鱼堆成了山。士兵们吃了鱼，有了劲头。奇怪的是战马不吃别的鱼，只对其中的一种鱼感兴趣，哪里有这种鱼战马就奔哪里去，高兴得直叫，叫声像人哈哈大笑一样，而别的鱼战马连闻都不闻。战马吃了这种鱼后，劲大，跑得快，士兵们就管这种鱼叫大马哈鱼。

战马吃了大马哈鱼，驮着白马大将军和他的几万将士杀向敌人，很快击退了沙皇军队的进攻，并一口气把他们赶到库页岛以北。在这之后的很多年里，沙皇都没敢再侵犯清朝边界，大马哈鱼也名扬天下。从此，乌苏里江大马哈鱼解白马大将军之难的故事一代一代地流传了下来。

水
文
化
教
育
丛
书

14. 雅鲁藏布江的故事

雅鲁藏布江又叫马泉河,位于西藏自治区,发源于喜玛拉雅冈底斯山脉之间的杰马央宗冰川,它流淌在世界屋脊之上,是世界上海拔最高的大河。

在古藏文中,雅鲁藏布江的意思是"从最高顶峰上流下来的水"。雅鲁藏布江在流经林芝地区米林县以后,受地质构造线的控制被迫改变方向,折向东北,与帕隆藏布汇合后又以海拔7 782米的南迦巴瓦峰为轴急转近180度,像一把巨斧从天而降,将阻挡在前的东喜马拉雅山脉劈开一道大口后直奔平坦广阔的印度平原。在林芝地区墨脱县境内形成了世界地质构造上极为罕见的"马蹄形"大拐弯峡谷,成为世界第一大峡谷。

关于雅鲁藏布江也有一个十分有趣的故事。传说在冈底斯山上住着一位老人,叫冈底斯,他有三个儿子和一个女儿,大儿子叫雅鲁藏布,二儿子叫狮泉,三儿子叫象泉,小女儿叫孔雀。一家人相亲相爱、和和美美、幸福快乐地生活着。有一天,冈底斯带着孩子们在森林里玩耍,孩子们欢快的笑声像一首美妙的音乐传入密林深处。在冈底斯山的山洞里住着一个老巫婆,听到这欢快的笑声恼羞成怒。她不允许人们这样幸福快乐,于是她卷着一阵旋风来到森林里,准备杀死这些孩子。冈底斯为了保护孩子们与老巫婆展开了一场搏斗,结果身受重伤,奄奄一息。

在冈底斯弥留之际,他把孩子们召集到自己面前,对他们说:"现在你们都长大了,父亲再也不能照顾你们了,你们出去闯荡天下、开阔眼界吧。"埋

葬了父亲，兄妹四人擦干眼角的泪水出发了，他们决心出去学好本领回来给父亲报仇。

一路上，老大雅鲁藏布经过了许多村庄，拐了许多弯路，便到了贡布地方。郁郁葱葱的树木将连绵起伏、高耸险峻的山岭覆盖，香气四溢的花儿洒满山野、竞相开放，鸟儿自由地飞翔鸣唱，蝴蝶和蜜蜂翩翩起舞。这优美的景色使他流连忘返，不由自主地放慢了脚步，缓缓地继续向东走去。这时有一只鹞鹰从遥远的天边朝着雅鲁藏布飞来，"这只鹞鹰是从很远的地方飞来的，一定看到了很多景象，也许知道我的弟弟妹妹们的去向"，雅鲁藏布这样想着。于是当鹞鹰飞近自己时，他便问道："你知道我的弟弟妹妹们去哪里了吗？"其实这只鹞鹰就是老巫婆变的，她已经把其他的三个孩子变成了三条河，就是狮泉河、象泉河、孔雀河。现在她终于找到了雅鲁藏布，正准备把他也变成一条河，于是她想了一会儿，便撒谎说："你的两个弟弟还有一个妹妹都往南向印度洋那边去了。"

雅鲁藏布一听这话焦急万分，为了能早日与弟妹们相会，他立即向南奔去。趁着雅鲁藏布没有注意，老巫婆立刻施法，把雅鲁藏布也变成了一条河。

雅鲁藏布太着急去见自己的弟弟妹妹了，居然不知道自己中了魔法。他卷起大浪，涌起波涛，从南迦巴瓦峰脚下急转掉头向南，拐了个大弯向着印度洋的方向匆匆忙忙地呼啸而去，一路的高山陡崖都不能挡住他的脚步。若是地势陡峭险峻他就从那里跳下，若是高山阻挡，他就卷起大浪，冲开道路。于是便形成了如今我们所看到的深嵌在千山万谷之中的雅鲁藏布江大峡谷。

水文化教育丛书

15. 鸭绿江的传说

鸭绿江是中国和朝鲜的界河,发源于海拔 2 300 米的白头山天池,在辽宁省丹东注入黄海。流域内多高山峻岭,地貌复杂,地势多变,植被茂密,沿岸郁郁葱葱,河水含沙量很少,因江水呈绿色,似鸭头之毛而得名。

鸭绿江水为什么是绿色的呢?关于这一点有一个非常动人的传说:很久很久以前,长白山上来了一位仙女,她是王母娘娘的小女儿,玩耍时不小心打破了王母娘娘的灵光宝镜,被王母娘娘贬罚来到人间。来到长白山后,她采百树之叶、万花之蕊织就了一件芬芳绿衣。从此以后她脱去仙裳,整日一袭绿衣穿梭在山中,配上鬓间的七色花环,宛如一株灵动的仙葩,因此山中精灵都叫她小绿。

在长白山上有个仙雾缭绕的池子,这个池子水面明亮如镜,清澈见底,四周树木葱茏,风景秀丽。因为酷似王母娘娘的瑶池,小绿便给这个池子取了一个非常好听的名字——天池。

小绿非常喜欢天池,她每天都要到天池里洗澡,甚至有时候整天都会流连在天池里与水中的精灵玩耍嬉戏。

一天,为了制作玉露琼浆给王母娘娘拜寿,小绿的姐姐七位仙女下凡取百江之水,来到了长白山,于是小绿就带着几个姐姐来到天池玩耍。仙女们看到碧波如镜的天池别提有多高兴了。大姐说:"姐妹们,现在时间还早,不如我们下去洗澡玩耍一番再回天庭如何?"其他仙女也早有此意,见大姐这

样一说马上同意了。于是仙女们飞快地跳进天池,互相泼水嬉戏,别提有多快活了。

玩累了以后,仙女们又泡在水中聊天,谈着小绿下凡后天庭里发生的事情,一边聊天一边欣赏着眼前醉人的湖光山色……不一会,太阳就要落山了,该回天庭了,仙女们急了起来,赶紧跳上了岸。

这时大家才想起自己的衣裙全都是湿透的,她们一个个将衣裙脱下来用力抖,抖下来的水汇成一条条清澈甘甜的小溪向山下汩汩地流去。小绿的衣裙里蕴涵着百草的灵气,抖下来的水都是嫩绿色的,流成了一条嫩绿色的小溪,别提有多好看了! 这些小溪顺着山谷往下流淌,渐渐地汇聚在一起,便成了一条淡绿色的江,后人就把这条江称为鸭绿江。

仙女们在天池里洗浴,给天池带来了灵气;鸭绿江发源于天池,自然也染上了仙女的灵气,而变得更加神圣、灵动。天池和鸭绿江是生活在它周围的人们所崇敬和依靠的。为了表达这种愿望,也为了表达对水的热爱,这则神话就诞生了。

鸭绿江的水清澈纯净,颜色碧绿,江水味道甘甜。住在它岸边的汉、满、朝等各族人民都是吃它的水长大,靠着它的滋润来生活的。这里的人们深爱着好比慈母般哺育着他们的鸭绿江,更加深爱着这甘甜的鸭绿江水。

贰

「河」

水文化教育丛书

16. 黄河的传说

黄河发源于我国青海省巴颜喀拉山脉,流经青海、四川、甘肃、宁夏、内蒙古、陕西、山西、河南、山东九个省区,最后于山东省东营垦利县注入渤海。黄河流域是中华民族的发源地,中华民族文化发展的序幕在这里拉开。

据说在很久很久以前,古老的黄河肆意奔流,日夜怒吼,冲刷着土地,吞噬着万顷良田。黄河像一个龇牙咧嘴的怪物啮咬着千万重山。两岸的人民面对汹涌泛滥的河水,只能在山尖、沟底过着刀耕火种的生活。

那时的宁夏不是现在一马平川的塞上平原,而是沟壑纵横,地势崎岖。牛首山上住着的几户人家,世世辈辈在这里生活,老老小小忙个不停地从山底挑水,在山头上种地,却吃不饱,穿不暖。

一个名叫阿木的小伙子,在山上开了一个果园,种了些苹果树。他每天起早贪黑,到黄河里去挑水浇灌果树,精心照料,果树一天天地长大了。年复一年,果树结出了果实,一个个又红又大的苹果,让人一看就流口水。这一天阿木累了,躺在果园门口睡着了。刚睡熟,就梦见天空中飘来一朵白云,那白云变成了一个白衣仙女。仙女对阿木说:"今天将有两场大风,中午是一场黄风,能把苹果吹蔫;下午有一场黑风,能使苹果落地。不管有多大的风,你都不要把苹果摘下来。"

阿木惊醒一看,不见了白衣仙女,却见北面黄风铺天盖地地刮来,苹果果然一个个蔫了,可想起白衣仙女的话,他没敢动。到了下午,一股黑风袭来,吹得山摇地动,苹果都快要落地了。阿木气得再也忍不住了,就摘掉了一个又蔫又小的苹果使劲扔进了黄河。黄河马上就像断了的一条线,清清

34

楚楚地看见了河底,阿木惊呆了。

这时,阿木又听见那位白衣仙女说:"这苹果就是征服黄河的钥匙,可现在黄河叫黄风和黑风这两个魔鬼折腾苦了。你要耐心。明年,你再种一些苹果树,等苹果成熟了的时候,你拣最大的一个扔进黄河里。那时,你走进河底洞里,珠宝由你挑,粮种由你拿,还有一把宝剑可以斩龙杀妖,驯服黄河。"

第二年,阿木照仙女的吩咐又种了一园子苹果树,他不怕辛苦,从黄河里挑水浇树苗。年复一年,工夫不负苦心人,园子里结了一个足足有十斤重的苹果。阿木高兴地日夜守在果园里,一直等到果熟。

终于等到苹果成熟了,阿木把那个又大又红的苹果摘了下来,念着仙女教他的咒语,扔进黄河里。这时只听黄河一声咆哮,裂开了一条长缝,河底的石头都看得清清楚楚。阿木下到河底,见靠着河岸有个洞,洞里珍珠玛瑙应有尽有。阿木没有去拿那些珠宝,而是径直去取了仙女说的可以惩治恶魔的宝剑。刚往回走时,就听得一阵暴风狂吼,一时河面上波涛滚滚,一浪高过一浪。阿木拿起宝剑向那狂风左右猛劈几十剑。一会儿,狂风吹出天边去了。

这时,黄河的断缝渐渐地合严。阿木知道这宝剑可以征服黄河,他心想:我要叫黄河填满沟壑,淤平山梁。于是阿木手持宝剑,向黄河猛劈下去,黄河的水马上不流了,好像前面堵了一道长城,只是节节升高。三天以后,南至六盘山,西至贺兰山,到处都是水,只留下几座山尖尖。阿木这才抽出宝剑,让黄河水向前流去。

从此以后,山大沟深的宁夏,变成了一马平川,居住在黄河两岸的回汉人民靠着自己勤劳的双手,开渠造田,过上了幸福的生活。

17. 倒淌河的由来

在青海湖的东南部,有一脉奇峰林立、险峻陡峭的山岗。它,如同一排锋利的戈矛,直插蓝天——这就是著名的日月山。山脚下,有一条自东向西流淌的河流,关于这条河流,民间有一段美丽的传说。

传说在远古时候,没有陆地,没有海洋,也没有天空,天地一体如同一只鸡蛋。盘古开天辟地时,造了四根柱子,东南西北各用了一根柱子撑着,于是就形成了天地。那时的龙是天地的主宰,龙王并不是住在水里的,而是生活在天上。有一天老龙王出来游玩,发现世界上除了地就是天,中间空荡荡的,看上去简直太单调了。他想要是在东南西北四个方向各造一个海,把天地连起来,那样一眼望去海天一色,茫茫一片,岂不是更增添了天地的神秘感?

说干就干,老龙王叫来四个女儿,要她们在东南西北四个方向各造一个海,造好后就把这几个海封为她们的领地。老龙王拿出四样宝物给四个女儿选,并告诉她们这四样宝物可以助她们一臂之力。四个女儿高高兴兴地出发了。

大女儿春儿选了一只碧玉宝瓶,临行前她用碧玉宝瓶装了满满一瓶的千年玉露,来到了东方,把宝瓶朝下一倒,顿时一面瀑布倾泻而下,几天的工夫就造出来一片大海。春儿给这片海取名东海。二女儿华儿选了一只圣水碗,临行前她装了满满的一碗冰山圣水,来到了南方,把碗朝下一倒,顿时一股水柱倾泻而下,几天的工夫也造出了一片大海。华儿给这片海取名南海。三女儿秋

儿选了一只聚水盅，临行前她装了一盅百花浆，来到了北方，把盅朝下一倒，顿时，一股清泉倾泻而下，几天的工夫，又造出了一片海。秋儿给这片海取名北海。由于她的这片海是由百花浆造成，所以每年天冷的时候，这些花浆都会凝固结冰，形成白茫茫的一片。

小女儿实儿走的时候没有选父亲给的宝物，她不想像姐姐们那样用宝物一下子就造出一片海，她要集大地百川的灵气来造出她的海洋，于是实儿就这样出发了。她来到陆地，走过平原，翻过高山，越过沙漠，踏过冰川，经历了千辛万苦，终于找到了九十九条充满灵气的河流，她摘下自己的日月簪，引着九十九条河流向她的海洋汇聚。当九十九条河流汇聚成了一片蔚蓝的大海以后，实儿长长地舒了一口气，可是她还是高兴不起来，因为还差一条河，这片海的灵气依然无法全部发挥出来。于是实儿又背起行囊出发了。

走啊走，一直走到了青海湖。这时的青海湖湖水即将干涸，岸边草木稀疏，土地干裂，成群的牛羊因为断水缺草，奄奄一息。实儿看到这一切，心情十分焦急。她赶紧四处找水，终于在离青海湖很远的地方找到了一条河，但水流不过来……无奈之下，实儿又拿出了日月簪。她知道日月簪在引九十九条河流入海的时候已经魔力大失了，剩下的魔力也只能引最后一条河入海，如果这次引水入青海湖，她的大海将永远少一份灵气。可是看着眼前的一切，她实在不忍离去，最后她还是决定引水入青海湖。

她毅然将日月簪高高举起，那条原先朝东流的大河，立刻掉转头来向西北方向奔流，滔滔不绝的河水，霎时涌进了青海湖。湖水涨满了，岸边湿润了，草原变绿了。从此庄稼长得好，牛羊喂得壮，青海湖变了样。为了防止走后河水再流回去，她又将日月簪朝地上一竖。啊！刹那间，只见银光闪耀，雷声轰鸣，一座挺拔、险峻的山峰在青海湖东南方竖了起来，像一堵墙一样堵住了河的去路。

由于是日月簪变成的山，所以后人把这座山叫日月山；因为我国的河流大都向东流，而那条河水却向西北流，所以人们叫它倒淌河。

18. 缠河的传说

　　河南洛阳府的东面有一条河流,名叫缠河。缠河两岸,居住着好多好多回回人家。这条河为什么叫做缠河?缠河两岸为什么住了这么多回回人家?这里有个传说。

　　据说,元朝年间,成吉思汗西征后又去攻打金国。驻守洛阳的元朝兵马杀人放火,奸淫掳掠,搅得一座繁华古城鸡犬不宁。可是这支兵马中却有一营西域兵,他们不仅英勇善战而且军纪严明,饮食言行都与其他元兵不同,相比之下分外显眼。

　　营中有一位年轻的将领,名叫都布。他武艺高强,机警勇敢,是个正直善良的西域人。他对官兵任意欺压汉民的暴行很不满意。一天,都布随营从野外操练回来,不巧,他的战马受伤不能坐人,他只好单独一人跟在马后面往回走。经过郊野的一个村庄时,忽然从路边一户人家里传来妇女的惨叫声。都布当即持刀奔了进去。原来,是两个士兵正要蹂躏一个姑娘。都布与那两个士兵厮打了几个回合,把其中一个士兵刺死了。这时,姑娘的父亲打柴回来。他一看这情景,以为都布和那士兵是一伙的,不由分说,上来就打,都布左躲右闪,不小心被老汉用砍柴刀划破了胳膊上的皮肤,另一个士兵见状赶紧逃跑了。当老汉知道实情后非常惭愧也非常后悔,他十分感激都布。此时都布很担心那个士兵会回去报信,大部队马上就会回来找他们算账,那么父女俩就倒霉了。都布便劝父女俩,赶快到外地暂避一时,他自己也逃进了森林茂密的邙山。

　　果然,没过多久就有一支兵马出现了。他们放火烧掉了农民家的房屋,并悬赏缉拿都布。

　　事有凑巧,没想到都布和那父女俩在邙山的森林中又相遇了。老人把都布领到他以前采药时发现的一个山洞里藏了起来。

　　老人在另一处暂避,每天给都布送饭。但是没过几天老人病了,于是他

就让女儿圆圆装扮成小伙子来送饭。从此，不管刮风下雨，不管路途艰难，圆圆总是按时去给都布送饭。转眼几个月时间过去，外边的风声渐渐小了，都布和圆圆也渐渐有了感情。就这样，都布和圆圆在邙山下成亲了。都布种地、打柴，圆圆在家织布做饭，小两口侍奉着老人。不久，圆圆又生了个小男孩，一家人日子过得很美满。

上天总爱捉弄幸福的人，有一年，这里遇上了从未有过的大旱，庄稼枯死了，人畜都没有水喝，眼看活不下去了。都布和乡亲们四处找水，但都无功而返。有一天都布做了一个梦，梦里有一个白胡子老者对他说："这个山上有一个山洞里藏着一个巨大的水库。"梦醒后，都布来到自己曾经躲藏过的山洞，他看了看地势觉得这里一定有水源，于是他就带领乡亲们开始打井。但是这里的老百姓都没有打过井，不知道怎么办，都布说："不要紧，我干过这活儿。"于是，都布就动手打起井来。他在下面挖，让乡亲们在上面用筐提土。一直打了九九八十一天，土都成湿漉漉的了，眼看就要打出水来。忽然听到井下"轰隆"一声巨响，乡亲们赶快把筐提上来。可是不见了都布，只有他的缠头巾散开放在筐中。

圆圆看到这情景，十分悲痛，向井里扑去。乡亲们急忙拉住了她。圆圆便抢过缠头巾痛哭起来。那白色的缠头巾一头垂在井里，一头拖落在地上，她的泪水就滴在缠头巾上。突然，随着圆圆的泪水，那缠头巾变成了一股清泉，从井里汩汩地冒出来。这清泉流也流不完，流过邙山脚下，流过洛阳府，像一条弯弯曲曲的白缠头带子，流向很远很远的地方。有了水，乡亲们也得救了，可是都布再也回不来了。

为了纪念都布，人们把这条河叫做缠河。

19. 清水河的传说

　　清水河,古代称西洛水、高平川水、蔚茹水,发源于六盘山东麓开城乡境内的黑刺沟垴,向北流经固原、海原、同心、中宁等县,在中卫的泉眼山西侧注入黄河,是宁夏境内流入黄河最大、最长的支流。

　　从清水河大桥往右看,岸边有一个凸起的小峰,叫蛇山,蛇山的右边有三条清澈洁白的瀑布从岩壁间淌出。每到涨水季节,又会幻化出七条参差错落的瀑布,这就是彩虹瀑群。往后是一座耸立的大山叫做老鹰山。老鹰山非常像鹰,主峰如鹰头巨嘴,两个侧峰似一对将展未展的翅膀。

　　关于清水河有这样一个传说。

　　相传清水河本来并不存在。某年天降大雨,塘水猛涨,山水弥漫,白果岭暗河中的龙王带领四条小龙以头闯山劈开河道,让百水归流形成清水河。但那时河是直的,地是平的。

　　多年以后,有一户人家为了躲避兵祸和租税逃到了雨布鲁地方居住。后来父亲病故,母亲带着阿布、阿木、阿果三兄弟艰难度日。三弟兄长大了,母亲的身体却累垮了。但是三个孩子都很孝顺,尤其是小儿子。一次,母亲病重,想吃一顿白米饭。为了满足母亲的愿望,小儿子便在离家二十里远的清水河对岸乱石中开出了一片梯田,当年就撒谷插秧。等栽秧上坎,小儿子已累得疲惫不堪,倒在草丛中就睡着了。

　　睡意朦胧中,他听到一阵美妙无比的歌声,仿佛看到一群美丽的女子身穿绫罗绸缎唱着歌从河岸飘上天去。他不相信这是梦境,第二天又来到岸边藏了起来。太阳快落山时,果然有一群仙女从天上飘飘袅袅降到河岸。原来是七仙女趁王母娘娘傍晚打盹时下来洗澡玩乐。仙女拔下头上的银簪变作放哨的猫头鹰,又将脱下的衣服变作一道遮挡的屏风。暮色降临,猫头鹰一叫,仙女们便上岸来,穿好衣服,收了银簪飞上天去。

　　第三天,阿果叫上两位哥哥一道来看,不巧这次被猫头鹰发现了,一声

鸣叫,仙女们便湿漉漉地飞上天去,一去数月不来。三兄弟十分忧伤,他们多想美丽的仙女能成为自己的新娘啊!于是三兄弟用树皮虫壳做成了不同的乐器,每天黄昏在河边凄凉地吹奏,多情宛转。乐声袅袅地传上天庭,七仙女无不为之动容,于是又一次趁王母娘娘打盹时下到清水河畔,并与三兄弟约定:在她们洗澡时用乐器为她们伴奏,不准偷看。

日子就这样一天天过去了,仙女们与三兄弟的感情越来越深厚。龙王感动于他们的真情和善良,变成老翁前来指点,叫三兄弟趁仙女洗澡时悄悄摸到屏风后,偷走仙女们的翅膀,她们飞不上天,就会成为三个兄弟的媳妇。第二天,三兄弟按照龙王的指点,抱起第五、第六、第七对翅膀,放下三套布依族的新娘衣服,回到家中将翅膀烧掉了。待猫头鹰发现时已经晚了。七仙女上岸时,五姐、六姐、七妹找不到翅膀,只好穿上布依族衣服。这时王母娘娘已快醒来,四位大姐不敢久留,插上翅膀飞走了。三个妹妹循着阿布、阿木、阿果的吹奏,到了三兄弟家做了他们的媳妇,男耕女织过着胜过天庭的幸福生活。婚后,三个仙女还是经常在清水河里洗澡,她们飘落的发丝变成了三条清澈柔美、如烟似雾的秀丽瀑布。

白果岭狡猾的龙王四太子知道了这件事,一天,趁三兄弟外出打猎,三姐妹黄昏洗澡时前来抢亲。正在三姐妹无奈间,先飞回来的猎鹰看到了,便与四太子展开了一场恶斗。四太子输了,脱下一个空壳伪装,逃到珍珠峡躲藏,却被石壁夹住。现在珍珠峡右岸有一个伸着脖子嚎叫的龙头,这正是自食其果的龙王四太子。

三姐妹嫁给勤劳善良的布依族三兄弟后,玉皇大帝极为震怒,便从天庭扔下手中的一根玉杖,在雨布鲁地方戳出了一个巨大的天坑,于是地动山摇,山河破碎,清水河扭动如蛇。玉皇大帝又不忍毁灭世界,便将玉杖化为一座石峰,钉在雨布鲁天坑旁,将摇摇晃晃、支离破碎的大地钉住,于是就有了现在群山起伏、清水河峡谷九曲十八折的样子。

水文化教育丛书

20. 太子河的由来

太子河是辽宁省较大的河流之一,流贯本溪境内。太子河古称衍水,汉称大梁河,辽称东梁河,金称无鲁呼必喇沙(满语意为芦苇河),明称太子河,清称太资河,即今之太子河。

关于太子河名称的由来,老辈人中有这样的说法:很久以前,赫图阿拉出了个女真族头领,人都叫他老汗王,手下有十几万兵马,骁勇善战。他统一了女真部落,建立了后金国,又想占大明的江山。

有一年,老汗王率领他手下的贝勒、亲王攻打大明。第一关是马城子。当时正是三伏天,守马城子的将官是从辽阳府退下来的李如柏,他下令将河两岸的桥拆了,船毁了。老汗王的兵马到达后,李如柏领兵出城,向对岸擂鼓摇旗,意思是说:明军就在河这边,看你能怎么样?有能耐你们长翅膀飞过来吧!

老汗王望着那河沿,心想:强渡,可不知河水有多深,对岸明军还虎视眈眈;不渡吧,出师头一仗就退了,不甘心。而要是时间拖久了,明军援兵一到,就更难了。老汗王盘算了一阵,回到大帐下了命令:"宣大太子进帐!"听父亲叫他,大太子立刻进了大帐。老汗王瞅了儿子一眼,就下了命令:"你带一哨人马,去河边巡视,看河水冻没冻成冰。"大太子听了打个冷战,心想:三伏天河水怎么可能封冻呢?但君命不可违呀,只得领旨去了。

大太子领着人马来到河边，那河水漩涡卷着漩涡哗哗地响。他回帐对老汗王就实话实说了。可老汗王却命令手下把儿子推出帐外砍了头。紧接着，他又命令二太子出去巡视，二太子见他哥哥说实话被父亲杀了，立刻打定主意，领兵直奔河边去了。河水照样哗哗地流淌，二太子望着河水笑了一声就带兵回营，假装惊喜地闯进大帐说："启奏父王，河水冻冰三尺，军马可渡过河！"老汗王一乐，急忙传令："半夜渡河攻城！"

这正是老汗王的计策，尽管人们心知肚明，可是想起大太子的死，一个个争先恐后，图个死里求生。一时间，河水被前军淹死的尸首堵得漫上了远远的岸边，后军踩着前军的尸首一齐扑过河去。

再说马城子里，李如柏认为有大河拦住敌军来路，他没有一点防备。不多时，马城子就被老汗王攻下，他只好带着残兵败将弃城逃跑了。老汗王进城第一件事，就是为大儿子举行葬礼。当时他是多希望大儿子谎报河水冻冰啊，那样，他就有了催兵渡河的理由，可大太子实打实地回奏，坏了他进兵的计策，他只得含着眼泪处死了自己的儿子。老汗王把儿子埋在东梁河岸边。为了纪念大太子，老汗王就把东梁河改名叫太子河，把马城子改叫太子城了。

水文化教育丛书

21. 射阳河的传说

　　射阳河位于江苏射阳县境内,关于它名字的由来,有这样一个美丽的传说。

　　相传在很久以前,黄海沿岸的老百姓有个习俗——每逢四时八节,要祭苍天。但是他们只祭苍天,不祭海龙。

　　这件事被东海龙王看在眼里,气在心里,他成天盘算着要惩罚这些百姓。有一年,东海龙王趁玉皇大帝下凡到峨眉山游玩的时候,便公报私仇,决定不在黄海沿岸降雨。就这样连续九九八十一天,黄海沿岸滴雨未下,千万顷农田颗粒无收,造成了百年不遇的大旱灾。老百姓饥渴难忍,于是他们开始沿用祖先留下来的老法子"求雨"。六月三伏天,烈日当头,老百姓头顶香炉,手捧锡箔,跪求苍天降雨,十分虔诚。

　　一日两日,不见降雨,但是人们并没有失望,他们继续坚持着,一天又一天不停地祈求。就这样又过了七天,前来祈求降雨的人越来越多,香炉烟雾缭绕,越聚越多,直冲天门。天庭的各路神仙都非常着急,但是玉皇大帝不在宫中,大家真是无计可施。看着求雨的老百姓一个个倒下去,太上老君再也看不下去了,他让徒弟守着八卦炉,自己前去找观音菩萨想办法去了。当时观音菩萨刚好闭门修炼结束,知道这件事情后,十分同情黄海沿岸的百姓,便派身边的一对石羊来为百姓开河引水。

　　石羊刚一出发,东海龙王就得知了这个消息,于是就作法为难他们。石羊苦口婆心地与龙王理论,告诉他不能荼毒生灵。可顽固的龙王不但不肯

降雨,反而阻止石羊开河引水。最终矛盾被激化了,这对石羊和东海龙王及其虾兵蟹将展开了一场恶战。

战争的一方是观音菩萨派来的两头石羊,且母羊有孕在身;另一方则是东海龙王率领的"千军万马",显然双方实力悬殊很大,情况十分危急。这时,公羊决定让母羊先走,自己留下来掩护。但母羊放心不下,不忍离去,她决心和公羊并肩作战。石羊用尽一切办法竭力与东海龙王及其众兵抗衡,经过几天几夜的鏖战,最终,石羊还是陷入重围,危在旦夕。危急时刻,公羊对母羊说:"我们来人间,就是为了开河引水救老百姓,你先走,去开河引水!"万般无奈,母羊只得含着热泪,在公羊的掩护下,杀出重围,一路奔去。就在这时,出现了神奇的一幕:在母羊走过的身后,出现了一条宽阔的大河。

母羊突围后,公羊一个人实在是势单力薄,无法抵抗龙王的千军万马,不久便倒下去了。

母羊经过长途跋涉,早已精疲力尽,当她走到宝应县境内时,实在是寸步难行了。经过一阵恶战,加之挂念丈夫的生死存亡,母羊终于支撑不住,倒地不起了。最后,她抬起头,见前面的白马湖、高邮湖和洪泽湖,三湖相连,水网成片,已毫无干旱迹象,便面带微笑,闭上了双眼。

当地人们为了纪念这对石羊,便把母羊死亡的地方,定名为"石羊"(即现在江苏省宝应县的西射阳),把母羊走过后形成的河取名"石羊河"。很久以后,人们便将"石羊河"说成了今天的"射阳河"。

22· 茄子河的传说

茄子河位于黑龙江省七台河市东部，这里风景秀丽，是完达山麓的一颗明珠。

相传，在很早以前，这里并没有今天这么美丽的景色，只有原始森林和一条昏昏沉沉的倭河江（现名倭肯河）和一群群虎狼。

那时，玉皇大帝的小女儿七仙女，正和董永在人间过着男耕女织的甜蜜生活。可是，玉皇大帝和王母娘娘非常想念自己的女儿，想让七仙女尽快回到天庭。在几次下诏传旨女儿都抗命不归的情况下，玉帝和王母娘娘竟派天兵天将到人间来抓七仙女。

这天，董永外出放牛，在山上发现一种紫色的果子。他觉得很漂亮就摘了一篮子，准备送给妻子做礼物，还给这种果子取了一个好听的名字——茄子。当他回到家时，正巧天兵天将抓了七仙女，看到妻子要走，董永依依不舍，可是他也没有办法。情急之中，他把一篮茄子捧到妻子面前。

七仙女眼含热泪接过这个礼物，万般无奈地随着天兵天将驾起祥云走了。上路后，她十分怀念丈夫，想起临走前丈夫送给自己的一篮东西，便拿出来端详。看着这些漂亮的茄子，她忽然产生了一个新奇的想法：这些茄子这么漂亮，肯定鲜嫩味美，也许比瑶池里的蟠桃还要强好多倍。如果回到天庭能用茄子给母亲做一道又漂亮又好吃的菜，那么母亲一定会感到很欣慰，也好求母亲再让她去见丈夫。这样才能回报董郎的一片深情，也不枉她下凡一回。

由于茄子的外表呈现紫色，她认为正应了"紫气东来"的祥瑞之兆。于是她便指引天兵天将绕道东行，试图借助东方的祥云，把这些人间的茄子镀上一层灵光。

谁知当行至倭河江上空时，突然遇到一条腾空西去的黑龙。由于这条黑龙正在与白龙作战，怒气中夹带起一股狂风巨浪，冲向了七仙女一行人。慌乱之中，七仙女竟然一失手将已经镀了灵光的茄子跌落到了倭河江中。

这篮茄子不仅满载着人间董郎的深情厚意，也是七仙女回宫后展示凡间人杰地灵的唯一证物，她怎么也舍不得丢弃不管，她正要下河去找，可是回天庭的时间到了。天兵天将也不敢抗旨，带着七仙女走了。

回到天庭后，她想念心爱的丈夫，也想找回失去的茄子，她先后八次向玉皇大帝请旨，在倭河江上空施展了四十一次仙术，用慧眼洞察了倭河江所有的支流小河，竭尽全力地寻找失落的茄子。但遗憾的是，她并没有找到这些带有灵光的茄子。

原来，当初茄子失落在倭河江中时，正值东海龙王在那里巡视。他偶然间发现这些晶莹鲜嫩的茄子后，便如获至宝地带回东海龙宫，认为这可能是长生不老的珍品，便设家宴享用了。

龙王吃了这些不明来历的茄子后，心里总是觉得惴惴不安的，便天天注视着外面的动静。当他发现七仙女施仙术追查茄子的下落时，不禁大吃一惊。为了防止七仙女查到他的头上，也为了弥补自己的罪过，他立即派自己的儿子，带领一千名水族兵将，来到倭河江，按照茄子的形状挖出一条河，让人们利用这些水源滋润更多的茄子，以慰七仙女的一片真情。

七仙女虽然没有找回茄子，但看到这个茄子形状的河流后，认为这可能是茄子的化身，失控的心理得到了安慰，便把从仙界带来的灵气镀到这条河上，并用仙术召唤人们到这里繁衍生息。后来，这里就出现了茄子河这个名字。

王母娘娘被女儿的真情所打动，便给女儿"开了个小灶"，允许她每年七月七下凡见董永一面，还有意在一次"蟠桃宴"之前，用仙术让摘桃的玉女失落一颗仙桃，在茄子河下游立起一座桃山，使山水相映成趣，相互媲美。

23. 孔子河的由来

水文化教育丛书

孔子河并不长,流域面积也不大,原名叫做"秀水河",但却因为孔子曾经来过这里,在这里发生了一件有趣的事而改名为孔子河,也因为这个传说让这条河闻名天下。

相传在两千多年前,孔子带着他的弟子颜渊、子路一起周游列国。有一天,他们来到了位于今天兴山县黄粮鸡公岭山下的秀水河边。由于长途奔波、跋山涉水,他们十分疲劳。这时天也黑了下来,大家都很想找个地方休息一下。就在这个时候,天空又突然下起了大雨,大家急得团团转。情急之下,他们终于找到了一个岩洞,不管三七二十一就赶紧跑进去避雨。

第二天清早雨终于停了,天也晴了,孔子走出洞外,放眼望去,发现远处群山耸立、层峦叠翠、云雾环绕,白云深处还隐约发现有几户人家,炊烟缭绕,宛若仙境。山涧除了哗哗的溪水,还有猿猴鸟鹤的叫声。身居此山,饱览人间美景,清晨听着鸟鸣,闻着花香,日子过得就像神仙一样。孔子在这里呆了几天以后,心想,在这里多住一段时间设帐授徒,岂不惬意。他把想法告诉了几个弟子,子路等人也早有此意,听师傅这样一说立刻表示赞同。于是他们便找来山乡村民在洞内凿石造屋,砍了一些山中的树木做了桌凳,不到一个月便办起了一所简易的学堂。

子路、颜渊等人在村子里召来几十名村童,孔子便就地教起书来。他认

真地教学生们诗书礼仪,每天的读书声响彻山谷。邻村许多地方的农民听说孔子到乡里来办学了,都纷纷给先生送来柴米油盐、瓜果梨桃,上学的孩子也越来越多,半年下来就有了上百人。

尽管在这里开办学堂非常自在,可是孔子是游说先生,他必须周游各国进行游说。第二年春,孔子就和他的弟子们告别了学童乡亲,又起程了。

孔子一行人挑着竹简书册,走到了河滩边,正准备上船。就在这时,捆书的绳子断了,简册便"哗"地一下散落到了河里,这下子走不了了,大伙急得满头大汗。但巧合的是,一个农夫正在套牛耕田,孔子走上前问:"您能将牛借我一用吗?"农夫一见是在山里讲学的先生,也乐得帮忙,就赶着水牛帮着把失落的书简找了回来。书简找回来了,可是没有绳子捆,他们还是没办法走啊。孔子又对农夫说:"您能将牛鼻绳赠我一用吗?"农夫说:"实在对不起先生,牛鼻若无绳,就无法耕田了。"孔子说:"若将绳赐我,牛就不用牵了,它会自己耕田的。"

农夫听罢,虽然不能完全相信,但是老夫子的话他又没理由怀疑,便将信将疑地解下牛鼻绳子交给了孔子,孔子带着弟子把书捆好后就乘上小船离开了。说来这事也奇怪,从此之后,秀水河一带的牛耕田再也不用绳(鞭),放牛也不用牵了。

后来,孔子教过的学生们都成了当地很有名气的贤达之人,当地的学堂也是越办越红火。人们为了纪念孔老夫子的恩德,便把秀水河改名为"孔子河",并把当年孔子住过、教过学的山寨叫做"孔子寨",把寨旁的望亭叫做"孔子楼"。

24. 亚马逊河的传说

亚马逊河发源于秘鲁中部的科迪勒拉山脉，全长 6 751 千米，是全世界第二长的河流，仅次于尼罗河。在巴西境内 3 165 千米，河面宽广，支流众多，流域面积和流量均居世界第一。亚马逊河流域适合植物生长，有浩瀚无际的原始森林，各种植物两万余种，盛产优质木材，并被誉为"地球之肺"。

有关亚马逊河的传说很多，但其中最具代表性的是在希腊神话中讲到的关于忒修斯和亚马逊人战争的故事。

早在忒修斯建立国家时，他就把女神雅典娜作为雅典的保护神，同时他也十分敬仰波塞冬，并且把自己看作波塞冬的宠儿。后来，忒修斯又给复仇女神献祭，得到神谕，于是开始巡视城堡，组织战斗。

最初，他曾在讨伐途中到达了亚马逊河沿岸。在那里，他俘虏了很多当地人，并且还搜刮了很多的财宝。但是令人感到奇怪的是，那些好战的亚马逊人并不憎恨忒修斯，相反还送给他许多礼物和美女，像对待宾客一样地对待他。忒修斯也十分喜欢这些礼物，并且喜欢上了一个叫希波吕忒的美丽的亚马逊女子。忒修斯邀请她同回自己的国家，希波吕忒欣然答应了。忒修斯并不知道，他的行为让好斗好战的亚马逊人感到十分愤怒，这个女子就是亚马逊人安插在他身边监视他的。

忒修斯带着希波吕忒回到雅典后，迅速举行了婚礼，封希波吕忒为王

后。婚后，他们的生活得很幸福。但此时的忒修斯并不知道，一个巨大的阴谋正等待着他。

希波吕忒时刻注意着忒修斯的动向，并且悄悄绘制了雅典城的地图，让身边的侍从偷偷地送出皇宫交给了在城外接应的亚马逊人。长期以来，亚马逊人也一直在寻找着报复的机会。终于有一天机会来了，他们开来了一支船队，登上了陆地，攻占了很多城市，甚至在雅典城的中心扎下了营盘。

开始时，亚马逊人非常英勇善战，攻击十分猛烈，一直打到了复仇女神厄里尼厄斯的神庙。眼看着自己多年的努力马上就能换来国家的胜利了，可是王后希波吕忒却怎么也高兴不起来，看着自己的丈夫在战争中一天天消瘦，她的心里总是萦绕着一股莫名的惆怅。她不知道，这些年的共同生活已经让她深深地爱上了这个曾经侵略过自己国家的丈夫。

一次战斗中，希波吕忒跟在丈夫的身边，准备找机会杀死他结束这场战争。就在战斗最激烈的时刻，一支飞镖向忒修斯飞来，正在奋力拼杀的忒修斯并没有发现。看到这一幕，王后希波吕忒想都没想，下意识地一个箭步冲到丈夫的身后，用自己的身体挡住了飞镖。飞镖刺中了她的肺部，希波吕忒就这样倒下了。

为纪念这位亚马逊女子，雅典人为她建立了一根大柱。后来战争和平解决，双方缔结了和约。亚马逊人离开了雅典，退回本国。为了纪念希腊神话中英勇的"亚马逊"女战士，亚马逊也就成了一条河的名字。

25. 恒河的传说

恒河，是印度文明的摇篮，发源于喜马拉雅山脉南坡加姆尔的甘戈特里冰川，最远支流达中国境内。其上源为两条西南流向的河流——阿勒格嫩达河、帕吉勒提河。两河流经印度，在代沃布勒亚格附近汇合后始称恒河。河流长约 2 580 千米，流域面积 90.5 万平方千米。

印度人视恒河为圣河，将恒河看做是女神的化身，虔诚地敬仰恒河。为什么印度人选择恒河为圣河呢？据说是起源于一个传说故事。

古时候，恒河的水流十分湍急，经常泛滥成灾，毁灭沿岸的良田，冲毁沿岸房屋，使得百姓常年生活在苦难之中。

当地的国王是一个和善的人，他的王后不仅美丽无比，而且也是一个心地非常善良的人。为了造福百姓，他们天天祈求天上的神灵帮助驯服恒河，拯救人类。

国王与王后的虔诚打动了上天，上天派下主管河流的女神湿罗帮助国王和王后治理水患。但是由于湿罗当时中了巫婆的诅咒，法力没有办法发挥，必须先化作一个胎儿经过人间母亲的孕育才能恢复法力。因为这段时间里湿罗每天从太阳落山开始都要练功恢复法力，所以孕育这个胎儿的母亲每天都要遭受 12 个小时的腹痛，不仅如此，母亲的相貌也会变得异常丑陋。

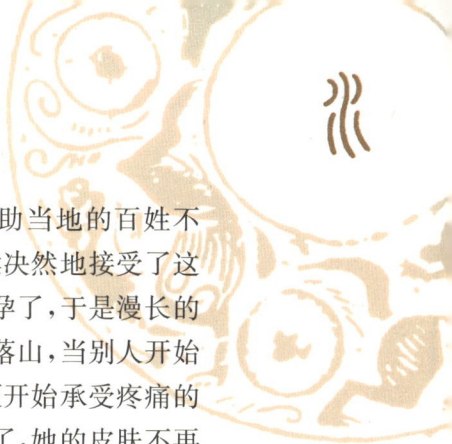

善良的王后为了帮助当地的百姓不再遭受洪水的侵袭，毅然决然地接受了这个重任。第二天王后怀孕了，于是漫长的煎熬开始了。每天太阳落山，当别人开始进入梦乡的时候，王后便开始承受疼痛的折磨。渐渐地王后憔悴了，她的皮肤不再红润，而且长出了沟壑一样的皱纹，她清澈明亮的眼睛也变得布满血丝，她轻盈的身材变得异常臃肿，说话也不再是以前那甜美的声音，而是像巫婆一样尖厉刺耳。王后再也不敢照镜子看自己了，但她还是无怨无悔。为了能让这个国家的人民过上幸福的生活，她愿意。

看着心爱的王后遭受这样的折磨，国王的心每天都在流血，他多想分担一些妻子的痛苦啊！虽然王后一天比一天丑陋，但是国王却一天比一天更爱她。为了减轻妻子的痛苦，每天晚上他都陪在她的身边，给她讲述一个个美丽的故事，就这样过了一千零一个夜晚。

在国王和王后爱的守护下，在人们的期望中，这个湿罗女神化身的孩子终于降生了，一出生，女孩那一头乌黑浓密的长发就吸引了王宫里所有人的目光。这个美丽的小公主给所有的人都带来了快乐和希望。更加令人欣慰的是，王后的容貌也一天天地恢复了，皮肤又开始红润起来了，眼睛比从前还要清澈透明，身材更加轻盈，声音更加甜美。整个王宫里充满了喜悦。

没过多久，这个女孩就长大了，像瀑布一样的长发垂在脑后，美丽无比。湿罗知道自己的魔法已经解除，该去治理肆虐的恒河了，于是她告别了国王和王后，向着恒河的源头飞去。湿罗来到喜马拉雅山下，散开自己乌黑浓密的长发，让汹涌的河水从自己头上缓缓流过，慢慢引入两岸的田野。两岸的居民从此得以安居乐业，繁衍生息。

于是印度教徒便将恒河奉若神明，敬奉湿罗女神和洗圣水澡成为印度教徒的两大宗教活动。

26. 塞纳河的故事

塞纳河发源于朗格勒高原,全长 776 千米,流经的巴黎盆地是法国最富饶的农业地区。塞纳河从盆地东南流向西北,到盆地中部平坦地区,流速减缓,形成曲河,穿过巴黎市中心。

了解巴黎的人,谁都会为巴黎的历史古迹和文化氛围而深深震撼。震撼之余,谁又能忘掉那生生不息、蜿蜒辗转、风情万种的塞纳河呢?塞纳河就像一条绿色的丝带,把许多光彩照人的珍珠串在一起,这些珍珠是稀世之宝、惊世之作。可以说,没有塞纳河,就没有巴黎的兴旺繁荣,没有巴黎的湿润气候,没有巴黎的满目绿色,没有巴黎的浪漫风情,没有巴黎的文化底蕴,没有巴黎的人气指数,没有巴黎的……

关于美丽的塞纳河当然有着美丽的传说。

距巴黎东南 275 千米有一片海拔 470 多米的石灰岩丘陵地区,丘陵地区有一个狭窄的山谷,山谷里有一条小溪,沿溪而上,有一个山洞。洞口不高,是人工建筑的,门前设有栅栏。洞里有一尊女神雕像,她一袭白衣,半躺半卧,神色安详,姿态优美,手里捧着一个小水瓶,嘴角挂着和善的微笑。而小溪就是从这位女神的背后悄悄流出来的。显而易见,塞纳河就是以此水为源的。

当地的高卢人说，这尊女神名叫塞纳，是一位专司降水的女神，而塞纳河就是以她的名字命名的。塞纳女神在公元前 5 世纪降临人间。当时塞纳河沿岸大旱，百姓苦不堪言，就是这位美丽的降水女神，带来了甘甜的雨水，创造了蜿蜒的河流，缓解了塞纳河流域的干旱，滋润了沿岸的城邦。人们为了向这位美丽善良的女神表达敬仰感激之情，就以她的名字给她创造的这条河流命名为塞纳河。

女神本来住在天上，她是怎么来到人间的呢？对于女神的到来也有一个说法。在距塞纳河河源不远的地方，有一座美丽的村镇，镇内有个玲珑雅致的教堂，教堂里面的墙壁上图文并茂地记载着这样一件事：这里曾有个神父，那年大旱时，他天天向上帝祷告求雨，上帝被神父的虔诚所感动，于是就派遣塞纳女神到人间来降雨。塞纳女神降雨之后本打算离开，但是神父苦苦哀求女神为当地的人们创造一条河流，以保永无旱灾。这个神父是布尔高尼人，他的名字在布尔高尼语中为"塞涅"，于是这个村镇和教堂就都被命名为"圣塞涅"。

塞纳河的美丽是无与伦比的。巴黎的美，同样是来自于它的母亲塞纳河。塞纳河就像是巴黎的一条缠腰玉带，沿着塞纳河，是巴黎最重要的景点，也可以说全球的旅游亮点尽收眼底——雄伟壮丽、庄严神秘的巴黎圣母院；巴黎的象征，高达 300 米的埃菲尔铁塔；珍藏着好几个世纪古代文物的卢浮宫；"完全石头"的火车站式的奥赛博物馆；安葬着拿破仑的荣军院……巴黎的历史，巴黎的文化，巴黎的艺术，巴黎的富庶，巴黎的傲慢，巴黎的浪漫，巴黎的潇洒，在这条河两岸洋洋洒洒，酣畅淋漓。

27. 台伯河孕育罗马的传说

在台伯河下游的丘陵平原上,有着著名的罗马城,这座孕育了古代西方文明的城市,就起源于它所濒临的台伯河,起源于一个极富浪漫色彩的神话传说。

相传在很久以前,意大利中部拉丁平原上,有一座阿尔巴龙伽城,努米特登上了该城的王位,受到人们的拥戴。可是过了不久,他的弟弟阿穆利乌斯不择手段篡了位,将努米特赶走,并杀死了努米特的儿子,还把努米特的女儿西尔维亚送去作贞女祭司,使她不能嫁人,不能有后代。

传说西尔维亚有一天在一条小溪边躺下睡着了,战神马尔斯为其美丽所惑,使她怀孕,后来西尔维亚生下了一对双胞胎。凶恶的阿穆利乌斯便以此为借口,下令处死西尔维亚,接着又把两个婴儿放入篮子,抛入台伯河汹涌的河水中。也许是天意救助两个婴儿,台伯河水却鬼使神差地把装婴儿的篮子冲上了岸,搁浅在一棵无花果树旁。就在这时,恰好有一只母狼到河边饮水,循着婴儿的哭声而来,这只母狼通人性,慈爱地低下了头,用舌头舔干了孩子的身体,又用自己的奶喂饱了他们。

后来，一个牧羊人路过这里发现了这对孩子，于是把他们带回去交给了妻子抚养，并给他们取名，一个叫罗慕洛斯，一个叫雷莫斯。在牧羊人夫妇的悉心照料下，兄弟俩一天天地长大。待他们长大成人后，从牧羊人那里知道了自己的身世。勇敢而愤怒的兄弟俩联手杀死了篡位的阿穆利乌斯，使努米特复位。人们希望兄弟俩留下居住，但是兄弟俩没有留在那里，他们坚决地离开了。他俩在牧羊人发现他们的地方建立了一座新的城邦。但是兄弟俩立刻又为谁作为新城市的统治者而争斗了起来。经过很多回合的争战，罗慕洛斯战胜了雷莫斯，成了新城市的统治者，并用自己的名字将该城命名为罗马。这件事据说发生在公元前 753 年 4 月 21 日，此后，罗马帝国将这一天作为开国的纪念日。

伟大的罗马帝国的历史，就起源于这个一只母狼喂养两个婴儿的传说。除了母狼之外，还有那条充满灵性保护着婴儿的台伯河。是神圣的台伯河的水挽救了两个幼小的生命，是台伯河孕育了罗马的诞生。

水文化教育丛书

28. 莱茵河的传说

莱茵河是德国境内最长的河流,它发源于瑞士境内,最后在荷兰鹿特丹注入北海,全长1 320千米。在德国境内的一段莱茵河区,已被联合国教科文组织列入"自然与文化保护双重遗产",而莱茵河上的优美的传说为这条河流再次添上了浪漫而神秘的色彩。

德国大诗人海涅有一首著名的诗作《罗蕾莱》,诗中描述过一个传说。这个传说的主人公是一个长着如太阳般灿烂金发的美丽女子,她叫罗蕾莱。罗蕾莱是一个善良的女孩子,同时也是一个不幸的女孩子,因为在她很小的时候她的母亲就去世了,她的继母嫉妒她的美貌,对她十分刻薄,把她当作仆人使用,让她每天干很多又脏又累的活。但是善良的罗蕾莱从无怨言,每天都过得很开心。她特别喜欢唱歌,每天都一边干活一边唱着动人的歌。

有一天,一位王子从这里路过,被罗蕾莱的歌声吸引过来。王子对温柔善良而美丽的罗蕾莱一见钟情,罗蕾莱也被王子的英俊深深地吸引了。但是王子不能留下来,因为他要到邻国去送信。王子对罗蕾莱说:等我回来,我要让你做我的王妃。然后就骑着马匆匆地离开了。

这件事情被罗蕾莱的继母知道了,她不允许罗蕾莱得到幸福,于是她找来了一个女巫,对罗蕾莱施加诅咒。美丽的罗蕾莱受到了诅咒,眼睛再也看不到东西了,继母又把

她扔到了森林里。善良的罗蕾莱急哭了,她的哭声惊动了山里的精灵。精灵很想帮助这个美丽善良的姑娘解除诅咒。可是这个诅咒太厉害了,精灵试了几次费了很多力气都失败了。精灵只好告诉她,只有王子的吻才能解除这个诅咒。可是她如何才能找到王子、得到王子的吻呢?精灵对她说,总有一天王子的船队会经过这里,她只要坐在山崖上一边梳头,一边唱歌吸引王子的注意力就可以了,一旦王子认出她就会吻她,那么诅咒就会解除,她就可以嫁给王子了。

于是,思念爱人心切的罗蕾莱每天清晨都登上山崖的最高处,坐在那块石头上梳着自己金色的长发,唱着低回婉转、如泣如诉的歌,希望王子的船队从山崖下经过时,能看到她的身影,听到她的歌声,为她解除诅咒。

她的头发飘逸芬芳,她的歌声让人入迷,莱茵河上的船夫们每到这里,都忍不住抬头张望,沉醉在她的歌声中,而忽视了水中的暗礁,于是往往撞上暗礁,发生船毁人亡的惨剧。

罗蕾莱是善良的,虽然她希望遇见王子尽快解除自己的诅咒,但是她不忍自己害死那么多无辜的人们,每一天她的心灵都遭受着巨大的煎熬。她多么希望心爱的人儿早日出现啊,可是日子一天天地过去,王子还是没有出现。有一天晚上,又有一艘渔船触礁沉没了,听着人们凄惨的呼喊声,罗蕾莱再也忍受不了了,她纵身跳下了巨岩,落入汹涌的莱茵河水中,将美丽短暂的青春和希望中的爱情一同沉入了莱茵河。

从此山岩上不见了罗蕾莱的倩影,歌声随之消失,来往的船只也不会再沉没了。

这个动人的故事因《罗蕾莱》而脍炙人口。由海涅的这首诗篇还产生了300余首歌曲,久久回荡在美丽的莱茵河畔。

据说,从20世纪80年代起,每隔两年就从当地的女孩里选出一位美丽的金发女郎,作为新一任的"罗蕾莱"。选出的女孩则作为文化使者,代表这一地区,频频出入于各种媒体和公共场合。于是,成为"罗蕾莱"就成了当地所有女孩共同的梦想。

水文化教育丛书

29. 多瑙河的传说

多瑙河发源于德国西南部的黑林山的东坡，自西向东流经欧洲的九个国家，是世界上干流流经国家最多的河流。多瑙河全长2 980千米，流域面积81.7万平方千米。除了动听的《蓝色多瑙河》，这里还有着更加动人的传说。

相传很久以前，在多瑙河河底有一栋美丽的水晶宫殿，水晶宫的主人是一个美丽无比的女妖，她叫伊莎贝拉。伊莎贝拉是一个非常善良的女人，她不但对水里的水族们百般呵护，还挽救过很多落水人的性命。每年冬天来临以前，美丽的女妖都要上岸一次，采集一些新鲜的空气回去过冬。

多瑙河的岸边住着一个老渔夫和他的儿子，老渔夫的儿子根本不相信女妖的存在，因为他自幼在多瑙河边长大，从未见过女妖。可偏偏是这位最不相信女妖的男子，碰见了真正的女妖。

有一天晚上，老渔夫和儿子的小木屋的门突然被推开了。随着一道耀眼的金光闪过，一个无比妖艳的女子站在门前，她头上装饰着美丽的睡莲，身上的白纱裙随风飘摇。她用那双迷人的眼睛望着年轻的渔夫，告诉他们不要害怕："我是多瑙河的女妖伊莎贝

拉,我到这里来是要告诉你们,今年的冰雪提早溶化,大水很快就要漫过河岸淹没渔村。你们必须告诉所有的村民立即离开,这里的一切马上就要荡然无存了。"说完,女妖就变成一串彩色的气泡消失了。这时,年轻的渔夫终于相信女妖的存在了,女妖的美丽和善良深深地打动了他的心。

父子俩迅速跑到村里将多瑙河女妖的警告散布开来。渔民们立即收拾家当,当天晚上就搬到了安全的地方。

第二天一大早,洪水咆哮着从多瑙河上游疾驰而下,巨大的冰块撞击着两岸,滔滔洪水淹没了村子的木房和农田。由于渔民们及时逃离了水患,在这场大水中,没有一个家畜被淹死,更没有一个人在洪水中丧生。

过了几天,洪水退了,渔民们都返回了自己的家园,很快就恢复了正常的生活。

但是那个年轻的渔夫却从此失去了昔日的安宁,女妖那金色的卷发、甜美的声音、迷人的目光……在他的脑海中挥之不去。他总是望着多瑙河发呆,在岸边流连忘返,对女妖日思夜想。终于有一天半夜,他再也无法承受相思之苦,便独自划着小船来到多瑙河中,等待和自己的梦中情人相见。第二天早上,人们就看到一艘无人的小船独自在河中轻轻漂荡。从此之后,再也没有人见过这个年轻的渔夫。

自从见到那个年轻的渔夫,伊莎贝拉也心动了。回到水晶宫后,她天天通过水晶球来了解这个小伙子的情况,当她看到心爱的人儿为了自己而日渐憔悴的时候,心里如同针扎一样的难受。她很想到他的身边去做他的新娘,可是水里的水族们离不开她的保护。她的心里非常矛盾。

这天,伊莎贝拉照例打开水晶球去看看她心爱的人,水晶球里的一幕吓了她一跳,她看到自己心爱的人正在水里挣扎,马上就要被淹没了。来不及多想,她立刻飞到了爱人的身边把他扶上岸。那一夜,他们海誓山盟,立下了生生世世永远相爱的誓言。年轻的渔夫为了伊莎贝拉放弃了肉体的生命,他的灵魂跟随女妖一起回到了水晶宫,从此他们在水晶宫里过着幸福的生活。

叁

「湖」

水文化教育丛书

30. 月亮湖的传说

位于吉林省大安市境内的月亮湖，因为景色优美，素有"草原明珠"之称。关于月亮湖的形成流传着一个优美动人的传说。

相传在唐朝建国初期，唐高祖李渊将他的第十三个女儿平遥公主许配给当时的蒙古族首领阿拉善的儿子阿木拉为妻。

女儿即将远嫁，唐高祖李渊在公主临行前，将亲自喂养的一对雌雄鸿雁送给了平遥公主，以便及时传递音讯。

公主含泪告别父母后，经过长途跋涉到达了遥远的蒙古，蒙古人民热情地迎接了这位来自远方的美丽的公主。婚后，公主与阿木拉相亲相爱，生活美满而幸福。此时，公主带来的一对鸿雁也已生下了一只可爱的小鸿雁。这只小鸿雁羽毛纯白，圣洁无瑕，在碧蓝的空中翱翔时犹如一团白云，公主便给它取名为"白云"。

由于长期身在塞外，远离自己的家乡，公主非常思念遥远的长安城和自己的父母，经常闷闷不乐，茶饭不思。阿木拉见公主整日愁眉不展，非常担忧，但是又不知道用什么办法才能让公主开心。

一天，阿木拉到外面打猎，捉住了一只小白兔，他知道妻子这些天一直郁郁寡欢，心想把这只可爱的小白兔给她，她一定会很开心。于是，他草草地结束了打猎赶回家，兴冲冲地冲进公主的蒙古包。可是当他看到公主正

一个人坐在床上流泪的时候，他又不知道该怎么做了，只好悻悻地离开。

这时他想起了那两只鸿雁。如果鸿雁能让公主和她远在长安的父母取得联系，那么公主肯定会好受些。于是建议公主写信给父母，让鸿雁带回家。公主听后也很开心，很快写好了家信。阿木拉把信系在鸿雁的脚上，然后将鸿雁放飞，小鸿雁也随着"爸爸妈妈"一同上路了。

大漠的天气真是难以预测，刚刚还是碧空万里无云，谁知转眼间就狂风大作。三只鸿雁刚刚起飞不久，天上就突然刮起了大风，大风裹夹着沙尘击打着它们，使它们无法辨别方向，不知不觉地它们便迷路了。风越刮越大，天色渐渐地黑下来了，三只鸿雁努力地辨别着方向，互相呼唤着，但是最后还是无法找到正确的方向，后来，因为体力不支，从天空坠落于大漠中。一瞬间，三只鸿雁化做了三个湖泊，就是现在的那仁湖（太阳湖）、萨仁湖（月亮湖）和白云湖。至今，每当夜晚有风时，人们似乎还能恍恍惚惚地听见它们哀怨的哭泣声……

平遥公主久盼鸿雁不归，非常担心自己的鸿雁，同时也更加思念远方的父母，终于郁郁成疾。一天夜里，公主恍惚中梦见三只鸿雁归来，她非常高兴，上前一把抱住小白云，一霎那小白云却变成了一颗晶莹的水滴，冥冥中她听到一个凄婉的声音向她诉说着事情的经过。公主醒后泪湿枕边，对鸿雁无比怀念，便命人造一块石碑刻字以作纪念。种种传说都给月亮湖蒙上了一层浪漫神秘的面纱，月亮湖吸引着越来越多的人们前来游览美景，追思往昔。

31. 长白山天池的由来

　　长白山天池又称白头山天池,坐落在吉林省东南部,是中国和朝鲜的界湖。湖的北部在吉林省境内,是松花江、图们江、鸭绿江三江之源。因为它所处的位置高,水面海拔达 2 150 米,所以被称为"天池"。长白山气势恢宏,资源丰富,景色非常美丽。在远古时期,长白山原是一座火山。据史籍记载,自 16 世纪以来它又爆发过三次,当火山爆发喷射出大量熔岩之后,火山口处形成盆状,时间一长,积水成湖,便成了现在的天池。而火山喷发出来的熔岩物质则堆积在火山口周围,成了屹立在四周的十六座山峰,其中七座在朝鲜境内,九座在中国境内。这九座山峰各具特点,形成奇异的景观。

　　关于长白山天池,还有一个美丽的传说。

　　相传在很久以前,长白山居住着一个会喷火的魔王,每逢旧历七月十五这一天,他必会作法喷火,浓烟滚滚,光照天际,烧毁森林、房屋、牲畜,甚至烧伤附近的居民。待烧到七七四十九天时,烟消气散,万物焚尽。幸运的没有被烧伤的百姓只好举家出走,流离失所。魔王无恶不作,人们曾经想过很多办法,但是最终还是没人能降伏他,反而有很多勇士牺牲了。

　　为了根治火魔,有一位叫吉纳的姑娘,主动召集族众,焚香祷告,祈求上天,希望能够借助神力,除掉魔王。山里的山神被吉纳姑娘的善良和勇敢打动了,于是冒着生命危险来指点吉纳:沿着下山的路一直走下去不回头,走到一个开满杜鹃花的地方,找到杜鹃女神就可以找到制服恶魔的方法了。吉纳就这样上路了,临行之前,族人送上一匹宝马和一簇野山花,希望她早

日归来。

吉纳走了七天七夜,终于走到了那个开满杜鹃花的地方,找到了美丽的杜鹃女神。杜鹃女神告诉吉纳:今年七月十五,魔王喷火的那一天,你要登上长白山顶,先祷告雨神和雪神,乞求他们助威熄火,然后再祷告天鹅女神,求她飞上天宫,去天神那里借用治魔法宝——千年寒冰。

吉纳记住了杜鹃女神的话,回到长白山后就开始准备了。旧历七月十五这一天,魔王又开始喷火了,吉纳艰难地爬上山顶,顶着浓烟大火开始虔诚地祷告,雨、雪二神很快来到了吉纳身边,开始施法与魔王交战,但是雨、雪二神的神力太弱,只能降温,没法熄火。吉纳又祷告天鹅女神,天鹅女神被她的行为深深感动,很快就飞上了天宫,找到天神拿到了千年寒冰,返回后交给了吉纳。

吉纳带着刺骨的冰块,登上了天池火山口,一头钻进了火焰中,趁着魔王喷了火高兴得哈哈大笑时,用力地将寒冰扔进魔王的口中。一声巨响过后,魔王瞬间爆炸了,山峰坍塌下来,危害人间的妖怪烟消云散了,而长白山也被炸出了一个大缺口。

火魔被降服后,吉纳又借助天鹅女神的两只翅膀,飞入天宫,去答谢天神,不料撞见了王母娘娘。王母见吉纳既聪明又勇敢,非常喜欢,就收她做了义女,之后天上六仙女就变成七仙女了。

吉纳虽作了仙女,高居天庭,但她仍然思念人间,思念自己的家乡和乡亲。所以,她就从天上降下瑞雪,将长白山覆盖,又用雨水填满了缺口,形成了一个湖泊;为让家乡变得更美,她又撒下许多杜鹃花籽和其他名贵药材种籽。久而久之,她被长白山下的村民奉为女善神。如今杜鹃花开遍长白山麓,各种名贵药材盛长于长白山大地。

就这样,美丽的长白山天池形成了。

32. 青海湖的传说

青海湖又名"库库淖尔",即蒙语"青色的海"之意。它位于青海省东北部的青海湖盆地内,既是中国最大的内陆湖泊,也是国内最大的咸水湖。它长 105 千米,宽 63 千米,最深处达 38 米,湖泊的集水面积约 29 661 平方千米,湖面海拔 3 196 米。青海湖比中国最大的淡水湖鄱阳湖要大近 450 平方千米。湖水来源主要依赖地表径流和湖面降水补给。入湖的河流有 40 余条,主要有布哈河、巴戈乌兰河、倒淌河等。

青海湖在不同的季节里,景色迥然不同。夏秋季节,青海湖畔山清水秀,天高气爽,景色十分绮丽。那碧波万顷、水天一色的青海湖,好似一泓琼浆在轻轻荡漾。每年 11 月份,青海湖便开始结冰,浩瀚碧澄的湖面,冰封玉砌,银装素裹,就像一面巨大的宝镜,在阳光下熠熠闪亮,终日放射着夺目的光辉。

关于这个湖,流传着一个很有趣的神话故事。

在遥远的古代,如今的青海湖地区是一片茫茫草原,天然牧场。远处丘陵起伏,到处水草茂盛,牛羊咩咩,牧歌声声。这里,还有一口奇异的神井,淙淙甜水,流成一条清湛湛的小溪,无论是旱年或者涝季,井水既不会干涸,也不会泛滥成灾。牧民就在这里居住,靠着肥沃的草原和神井,饲养牲畜,过着衣食无忧的平安日子。

后来,这里出生了一位大智者,名叫河图阿拉。他住在神井边上,一面刻苦地做学问和修行,一面给往来行人布施神井的水。行路人喝上这水,立刻解渴生津,精神倍增。

不久,河图阿拉为了修行深造,决心到印度去求法。行前,他嘱咐他的徒弟说:"我走后,你要继续给往来行人施水,一定要盖好井盖。"徒弟按照他

的叮嘱,继续每天施水。

有一天,孙悟空偷吃了蟠桃,大闹天宫,惹得玉皇老儿大发雷霆,派出了所有的天兵天将捉拿他,谁知都不是他的对手,直打得四大金刚求饶,二十八宿逃命。玉皇惊慌失措,慌忙派二郎神杨戬前去抵挡。谁知这个二郎神也不是其对手,被孙猴子一顿金箍棒打得抱头鼠窜,无处躲藏,只好逃往凡间,想找个僻静处,先缓一口气再说。

二郎神逃到昆仑山下发现一眼井。这时,他人困马乏,又渴又饿,急忙叫跟随的童子,取下随身所带的罗锅,在井中取水做饭。自己拣了三块白石头,支起了个锅灶。哪知童子从神泉中取了水,却忘了盖上盖,等二郎神刚把锅架到三块石上,把米和盐下到锅里,泉水已溢成了汪洋大海,冲走了田舍房屋,冲走了一群群牛羊,冲走了世世代代在这里安居的人民。

二郎神一看自己的童子闯了祸,忽然觉得心惊肉跳,他预感到一定是神井溢水成灾了。于是他不假思索,随手在脚下抓起一座山,口中念念有词,这座山一下子飞到海面上,端端正正地落在井口上,压住了喷涌的大水。

当时,在附近的一个山洞中,住着一个妖精。他一见海水淹没村庄和人畜,正在幸灾乐祸,梦想洪水滔天,天下大乱,他好乘机称霸一方,没料想井口被从天上来的山堵住了。于是他钻出山洞,钻进水里,拼上全身的力气,掀开了大山,往水里一推。水又汹涌澎湃,浊浪奔腾,溢个不止。这座被推进水中的山,就是现在的海心山。

二郎神感到海水仍在不断地涌溢,心中纳闷,又抓起了两座小山,压住了井口,但不久又被妖精掀掉了。这回二郎神知道是妖精作怪,一头扎进水里,驱逐了妖精,止住了井水喷涌。这两个被第二次掀掉的小山,就是现在的海心西山和鸟岛。

井水泛滥成海,二郎神的锅也被冲走了。锅中倒出的水,因为已下了盐,所以,至今湖水是咸的。

水文化教育丛书

33. 洞庭湖的传说

洞庭湖为我国第二大淡水湖。湖中心有座葱翠常青的小山,名叫洞庭山,洞庭湖便因此而得名。湖区总面积约 18 000 平方千米。湖的南边是湖南省,北边是湖北省。它犹如一个天然的大水库,容纳四水,吞吐长江,调节洪水,控楚带吴。

关于洞庭湖流传着这样一个传说。

洞庭湖原是一望无际的八百里平川,这里大部分的土地都是一户姓万的财主家的。万财主和他的老婆爱财如命,为人狠毒,声名狼藉。财主夫妇结婚多年好不容易生了个儿子,还是先天痴呆儿。一晃二十年过去了,这个痴呆儿子却讨不到老婆。

有一天,万家来了一位白发苍苍的老人,还带着一位如花似玉的姑娘。老人说这个姑娘是自己的女儿,愿意把女儿嫁给万家儿子做媳妇。万财主和他的老婆岂有不愿意之理?立刻就让自己的傻儿子跟姑娘拜堂成亲了。

这老人为何要把自己的女儿往火坑里推呢?其实老人和姑娘并非凡人,而是太白金星和东海龙王的三公主。因三公主到天庭拜见玉皇大帝时,不小心摔破了一只冰凌瓶,玉帝大怒,命太白金星领她来到凡间受苦受难。

再说三公主嫁到财主家以后,财主婆并不善待新媳妇,而是对她百般刁

难,三公主每天都得上君山放羊,夜晚回来就和羊群睡在一起,冬冷夏热,受尽苦楚。

直到有一年秋天,玉帝的气渐渐消了,太白金星也觉得该把三公主放回龙宫了,于是就派一仙童下凡探望三公主。

这天,三公主赶着羊群上山,这时一位书生打扮的人出现了。这位书生就是太白金星派来看望三公主的仙童。三公主知道这人并非凡人,就恳请他捎带一封书信给东海龙王。三公主随即把万家婆婆虐待自己的实情对书生详细地说了一遍,然后撕下一片罗裙,咬破手指,给父亲写了一封血书。三公主把血书塞在为父亲做的寿鞋里面,托付书生带去。

且说东海龙王时时刻刻都在心里替三公主担忧,这天,听说有人带来三公主的消息,一着急鞋都没穿就跑出去迎接了。

送信人见过龙王,献上三公主的礼物。海龙王接过女儿送来的寿鞋一穿,只觉得鞋底下有针扎肉。揭开鞋垫一看,内有三公主血书一封,不觉老泪纵横,龙颜大怒,便派太子青龙随送信人即日一同上路,接回女儿。

万家老婆子自从逼迫三公主到君山牧羊以后,还派人暗中盯梢,不准其与外人来往。她发现有陌生人出现后,便到处寻找。

这天,万家老婆子走进厨房,一条大青龙张牙舞爪地从大水缸里跃了出来,吓得老婆子瘫倒在地。大青龙头一伸,尾一摆,一股粗大的水柱破缸而出。接着,“轰隆”一声巨响,地裂天崩。除了三公主所在的君山和贫民百姓所居住的赤山之外,整个万家院落陷落下去,成为了烟波浩淼、深不可测的大湖泊,这就是今天的洞庭湖。原来,那水缸里的正是太子青龙。据说这天是农历二月初二,是龙王为三公主报仇雪恨的日子,是“龙抬头”的日子。所以自古以来,当地人民就把二月初二定为龙的纪念日,也是洞庭湖形成的纪念日。

水
文
化
教
育
丛
书

34. 百灵湖的由来

百灵湖位于扎赉特旗图木吉苏木境内图牧吉自然保护区西北部,三面环山,一处注水,水面 2 000 公顷,蓄水量 7 000 万立方米,最深处 17 米,平均水深 7 米。百灵湖东依哈达山,登上哈达山举目远眺,东部草原辽阔,绿草如茵,百花争艳,牛羊成群;西面万顷碧浪,波光粼粼,游船往来频繁。这里草原辽阔,资源丰富,土质肥沃,交通便利。百灵湖就像是这草原上的一颗明珠。

百灵湖是由哈达山下的马蹄泡子(湖泊)扩建而成的。关于它的由来还有一段神奇的传说。

人们传说,哈达山地区原来并没有湖泊,而是一片茫茫的沙漠。当年成吉思汗统一蒙古时,率领大军来到这里,由于连日来的闯关夺隘,日夜兼程,将士们都非常疲惫。但是按照军事安排,他们不能停下来,只能继续赶路。当成吉思汗率领部下翻越了哈达山后,已经时近中午,将士们个个汗流浃背,气喘吁吁,口干舌燥,人困马乏,实在是再也走不动了。大队人马都想找个阴凉处歇歇脚,喝喝水,休息片刻再向前进发。可是荒山野岭之上,茫茫的一片大沙漠,一无人家,二无水源,到哪里去找水喝呢?没办法大家就只能一个个睁大了眼睛前后左右看,伸着脖子找,但就是看不见有一丁点的水源。此时将士们口渴难耐到了极点,恨不得把地上的沙子当成水喝了。

就在这时,成吉思汗的

坐骑突然一声嘶鸣,停步不前。长长
的嘶鸣声惊天动地,好像要把哈达山
震颤,连惯于征战的成吉思汗都吓了
一跳。而将士们更不知道究竟发生
了什么事,于是大家都停下来抬头去
看成吉思汗的战马。只见那匹战马
两眼圆睁,鬃毛立起,前腿使劲地刨
地,后腿拼命地蹬土,成吉思汗坐在
马上只能抓紧缰绳不停地吆喝,稍有
不慎就会被摔出去。一时间,直刨得尘土飞扬,沙石四溅,昏天暗地。不一
会儿,马蹄下就被刨出了一个大坑,将士们正感到奇怪之时,突然发现坑里
的沙土湿润了起来。

　　将士们见状知道沙土下面一定有水源,一下子个个精神振奋,一起上前
来刨沙土,不一会就刨出了一个马蹄形的泡子。清凉的泉水从泡子底部喷
涌而出,将士们都乐坏了,欢天喜地地喝了个痛快。将士们喝饱了水,有了
力气,又赶紧出发赶路了。后来成吉思汗的这匹战马被蒙古族的将士们看
作是神马,神马死后被成吉思汗厚葬,并且把这匹马的忌日定为神马节。以
后每一年的这一天,蒙古族人民都会举行盛大的赛马仪式,选出最健壮的战
马,披红挂彩,纪念那匹救过将士们的神马。

　　再说这泡子,由于底部不断有泉水溢出,水越涌越多,没多久就注满了
泡子,而且由于水源旺盛,这个小小的泡子也变得越来越大,直到形成了一
个大湖泊。后来人们就叫它百灵湖。

　　由于有了水源,这里的一切都发生了变化,山变绿了,草也长出来了,越
来越多的人搬到这里安家。每到春风拂面的时节,百灵湖就像是一位刚被
春潮催醒的窈窕淑女,那青纱遮面尚未梳妆的羞红脸庞,那温柔含情的回眸
微笑,那端庄娴雅的婀娜举止,展现出少女迷人的风姿,让人萌动着一种温
馨的淡淡的情思……

水文化教育丛书

35. 西湖的传说

西湖位于浙江省杭州市,古称钱塘湖,又名西子湖。其形态为近于等轴的多边形,湖面被孤山及苏堤、白堤两条人工堤分割为五个子湖区,子湖区间由桥孔连通,各部分的湖水不能充分掺混,造成各湖区水质差异。大部分径流补给先进入西侧三个子湖区,再进入外西湖。湖水总面积 5.59 平方千米,总容积 1.10 亿立方米,平均水深 1.97 米。

西湖风景优美,历史传说丰富,有这么一个传说特别吸引人。

相传在远古时代,在天河里住着一条雪白的玉龙;在天河岸边的大树林里,住着一只彩色的金凤。每天早晨,玉龙钻出水面,金凤飞出树林,他们互相打个照面,然后就忙着各做各的事儿去了。

有一天,他们约好去天河当中的一座仙岛游玩,于是他俩一个在天空飞,一个在天河游,不知不觉就来到了仙岛上。他们在仙岛上尽情地游玩,不知不觉天就黑了。这时玉龙发现了一块亮光闪闪的石头,就拿给金凤看。金凤看了很喜欢,就对玉龙说:"玉龙,你看这块石头多好看呀!我们把它琢磨成一颗珠子吧,这样白天我就把它戴在头上,晚上还可以用来照明。"玉龙见金凤这么喜欢就高兴地答应了,于是他俩就动手做起来了。玉龙用爪子抓,金凤用喙子啄。一天一天,一年一年,就这样一千年过去了,他俩真的把石头琢成了一颗滚圆滚圆的珠子。金凤飞到仙山上衔来许多露珠儿,每天洒到珠子上,玉龙游到天河里汲来许多河水精华,每天喷到珠子上,就这样又过了一千年,慢慢地这颗珠子就成了明光闪亮的宝珠了。

两千年的共同劳作,让金凤和玉龙之间的感情不断加深。他们深深地爱上了对方,也都视这个凝结了他们心血的明珠为自己的生命。玉龙不愿回天河了,金凤也不愿回天河岸边的那个树林。他俩就住在了天河当中的这座仙岛上,日夜守护着自己的明珠。这颗明珠真是一颗宝珠,珠光照到哪里,那里就树木常青,百花齐放,山明水秀,五谷丰收。

一天,王母娘娘在御花园散心,只觉得一束光芒耀眼,循着这束光芒一

眼就看见了仙岛上的这颗明珠，心里非常喜欢，很想得到。于是，她就派二郎神杨戬到仙岛上找玉龙金凤索要。杨戬来到仙岛，对玉龙金凤说明了来意。玉龙金凤一听吓了一跳，两个人辛辛苦苦雕琢了两千年的爱的结晶怎么能这样就给别人拿走呢？他们誓死保卫这颗宝珠。杨戬气得够呛，回到天庭告诉了王母娘娘。王母娘娘一听大怒，心想："我是玉皇大帝的老婆，天上的一切宝物都该是我的。"于是晚上趁玉龙和金凤睡熟的时候，让杨戬悄悄地把这颗明珠偷走了。她把明珠藏到仙宫里头，外面关起九重门，上了九道锁。

玉龙和金凤一觉醒来，发现明珠不见了，十分焦急。玉龙找遍了天河底下的每一个石窟，金凤寻遍了山上的每一个角落，可就是不见明珠的踪影。但是他俩还是日日夜夜地到处寻找，一心想把明珠找回来。

王母娘娘生日的那一天，四面八方的神仙都赶到仙宫来祝寿。王母娘娘一时高兴，就取出那颗明珠，用金盘端着放在厅堂中间，邀众神仙一起观赏。明珠晶光闪烁，神仙们看了都啧啧称好。

这时，金凤发现了明珠放出的亮光。玉龙和金凤立刻朝着明珠的亮光找去，一直找到王母娘娘的仙宫里。玉龙和金凤一看台上摆着的正是自己用两千年的心血辛辛苦苦琢磨出来的宝珠。玉龙急了，立刻上前准备夺回，王母娘娘一看，又羞又恼，伸手护住放着明珠的金盘，叫天兵天将把玉龙和金凤赶出去。争抢中，你拉我扯，金盘一摇晃，明珠滚了下来，沿着天庭的阶梯一直滚下去，从天上掉到了凡间。玉龙和金凤见明珠往下掉，急忙翻身跟下来保护。玉龙飞着，金凤舞着，随着宝珠从天空降落到地面上。这颗明珠一落地，立刻摔碎了，变成了清清的一潭湖水，这个湖就是今天的西湖。玉龙金凤舍不得离开自己的明珠，就一直守在湖水边。

王母娘娘在众神仙面前丢了面子，心里憋着一股气，就把玉龙和金凤变成了两座山。从此以后，雄伟的玉龙山和青翠的凤凰山就静静地卧在西湖的旁边。直到今天，杭州还流传着两句古老的歌谣："西湖明珠自天降，龙飞凤舞到钱塘。"

36. 太湖的传说

　　太湖,位于江苏和浙江两省的交界处,长江三角洲的南部。太湖古称"震泽",又名"具区",水域面积 2 200 平方千米,素有三万六千顷之说。湖中有大小岛屿四十八个,连同沿湖半岛山峰,被誉为"七十二峰"。太湖是长江中下游吴地的心脏,是我国东部近海区域最大的湖泊,也是我国的第三大淡水湖。它以优美的湖光山色和灿烂的人文景观闻名中外,是我国著名的风景名胜之一,每年吸引着大量游人来此观光游览。

　　关于太湖,有着许多美丽的传说,其中有一个与王母娘娘过寿有关的故事非常有趣。

　　据说在很久以前,有一年王母娘娘过生日,各路神仙都来祝寿,而且带了许多奇珍异宝,王母娘娘看了,非常高兴,直笑得合不拢嘴。其中八大仙人送的礼物更是让王母娘娘爱不释手。

原来八大仙人送给王母娘娘的是一个大银盘，里面放着七十二颗珍奇的翡翠和各种各样千姿百态、颜色各异、用玉石雕刻的飞禽走兽。这银盘近看像一个聚宝盆，远望又像一个精美的大盆景。各路神仙都啧啧称赞。

王母娘娘过生日，照例要设蟠桃会。但是这次出了一点小意外，负责发放请柬的仙人因为一时疏忽，忘记了一个重要角色，那就是刚刚荣任"弼马温"之职的孙悟空。召开蟠桃会那天，各路神仙都暂时放下手中的活计，盛装打扮朝着寿仙宫去了。

看着这样的阵势，"弼马温"孙悟空很是纳闷，赶紧拦住一个神仙打听，一打听不要紧，这下可把孙悟空气坏了。怎么别人都收到了请柬，唯独自己没有？这孙悟空本是花果山上一石猴，没受过什么正规教育，更不是神仙科班出身，靠着自己的一身武艺，曾经大闹天宫，玉皇大帝被他打怕了，才让他去管理天马，封他做了"弼马温"。

这次没有收到请柬，孙悟空真是火冒三丈。于是他扛起金箍棒，一个筋斗云翻上天宫，一路打到了正在设宴的寿仙宫，见人就打，见东西就砸，把个寿仙宫砸了个七零八碎，天翻地覆。他见到王母娘娘旁边的桌上摆着一个大银盘，看上去精美绝伦，火气更盛，抡起金箍棒就砸了过去。可能是孙悟空太生气了，没等看准方位就落棒了，这一砸，没砸中银盆，反而把桌子砸碎了，而且还把地板砸了个大洞，于是银盘从天宫落下，跌落到人间的吴越之地，把本来好好的地面砸出了一个大坑。银盆摔碎了，化作浩浩荡荡的一片洪水，淹没了三万六千顷的面积，成了一片大的湖泊。

由于这湖是从天上掉下来的银盘砸出来的，"天"字上面的一横，落在地面变成了一点，就成了个"太"字，所以此湖叫"太湖"。那银盘里的七十二颗翡翠，变成了七十二座峻美的山峰，散布在太湖之中；玉石雕刻的鱼虾，变成了太湖里的银鱼和白虾；飞禽走兽化作了太湖周围的飞禽走兽。美丽的太湖就这样形成了。

37·日月潭的故事

作为台湾岛上唯一的天然湖泊,日月潭的风姿可与杭州西湖媲美。日月潭很深,湖水碧绿。湖中央有座美丽的小岛,叫光化岛。小岛把湖水分成两半,北边像圆圆的太阳,叫日潭;南边像弯弯的月亮,叫月潭,日月潭因此得名。

关于日月潭的名字,还有一个美丽的传说。

相传很久以前,台湾岛上有一个大水潭,在这个大潭里住着一公一母两条恶龙,这两条恶龙经常兴风作浪,祸害附近的居民,动辄就要吃人,但是他们还觉得不够痛快。有一天太阳出来后,公龙看着天上的太阳,红红的圆圆的像个鸡蛋黄,心想这太阳的味道一定不错,于是一使劲腾空飞跃起来,一口将太阳吞到了肚里。见公龙吞了太阳很好玩,母龙也想过过瘾,待到晚上月亮出来时,母龙也学着公龙的样子腾空飞跃起来,一口将月亮也吞下了。

这对恶龙吞了太阳和月亮之后,觉得很好玩,于是就在潭里游来游去,把太阳和月亮一吐一吞、一碰一击的,像玩大珠球一样,好不开心啊。这两条恶龙只图自己好玩,却没想到人世间没有了太阳和月亮,是怎么样的光景。人们分不清白天和黑夜,花草树木都枯萎了,飞禽走兽不叫了,稻田里快成熟的稻穗干瘪了,家家户户的粮食也吃光了,牛羊快饿死了,日子过不下去了……

当地有一对青年男女,男的叫大尖,女的叫水花,他们是当地公认的最聪明勇敢的一对青年,人们都叫他们大尖哥和水花姐。人们的日子一天天过得极其艰难,他们再也看不下去了,于是他们下定决心要为世间找回太阳

和月亮。

可是这对恶龙非常厉害，两个凡人再厉害也不是他们的对手啊，怎样才能杀死恶龙呢？大尖哥和水花姐悄悄地钻进恶龙居住的岩洞里，从恶龙的谈话中偷听到，原来他们最怕的是埋在阿里山山底下的金斧头和金剪刀。于是大尖哥和水花姐顶风冒雨出发了。历尽重重艰险与磨难，他们终于来到阿里山下，顾不得旅途奔波的劳累，就开始挖找金斧头和金剪刀。挖呀挖，他们一口气挖了七七四十九天，手脚都磨破了，连皮肤都渗出血来了，终于从山底下挖出了金斧头和金剪刀。

他们高兴极了，赶紧拿着金斧头和金剪刀回到了大潭边，趁着两条恶龙正在潭里玩耍太阳和月亮时，大尖哥一个猛子钻下潭去，挥起金斧头，朝着公龙就是一阵猛砍，把恶龙砍得满头是血，遍体鳞伤。看公龙受了伤，母龙愤怒了，她咆哮着向大尖哥袭来。水花姐看准时机，拿着金剪刀一头冲下去，剪断了母龙的脖子。

就这样两条恶龙死了。可是太阳和月亮还沉在潭里，这可怎么办啊？大尖哥和水花姐又犯愁了。这时潭里的千年老龟浮出了水面，告诉他们，只要他们把公龙和母龙的眼珠吞下，就可以把太阳和月亮托上天去，但是这样他们将变成两座山峰，永远不能回家了。大尖哥和水花姐犹豫了一下，但是想到人间即将恢复到原来的山清水秀，鸟语花香，他们决定牺牲自己。

于是大尖哥摘下公龙的两颗眼珠，一口吞下肚；水花姐摘下母龙的眼珠，也一口吞下肚。顷刻间，他们变成了两座大山，把太阳和月亮托上了天空。太阳和月亮又高高挂在了天上，照耀大地，万物复苏。

后来，人们就把这个大潭叫做日月潭，把这两座大山叫做大尖山和水花山。直到现在，每年秋天仍然可以看到人们穿着美丽的服装，拿起竹竿和彩球来到日月潭边玩托球舞，学着大尖哥和水花姐的样子，把彩球抛向天空，然后用竹竿顶着不让它落下来，以此来纪念大尖哥和水花姐这对青年英雄。

水文化教育丛书

38. 博斯腾湖的传说

新疆博斯腾湖古称"西海",是我国最大的内陆淡水吞吐湖。博斯腾淖尔,语意为"站立",因三座湖心山屹立于湖中而得名。博斯腾湖远衔天山,横无际涯,是南疆一个重要的旅游区。博斯腾湖随着天气变化,时而惊涛排空,宛若怒海,时而波光粼粼,碧波万顷。夏季,湖中渔船与彩云映衬,群鱼共飞鸟逍遥。金秋十月,苇絮轻飏,芦苇金黄,秋水凝重,飞雁惊鸿。冬季来临,冰封千里,湖面银似镜,一派北国风光。

博斯腾湖除了迷人的景色之外,还有美丽的传说。

相传很久以前,这里并没有湖泊,而是一片风景优美、水草丰盛的大草原,草原上除了绿油油的草,还开满了各种各样、姹紫嫣红的花朵,这里的牧民安居乐业,生活幸福。

有这样一对年轻人,小伙子名叫博斯,住在东庄,姑娘叫腾尔,住在西庄。每天清早,他们各自赶着羊群去放牧,就会在山脚下相遇,日子一天天过去,美丽的姑娘看上了英俊的小伙子,而小伙子也对姑娘产生了别样的感

情。有一天,他们又在山脚下相遇,姑娘对小伙子说:"今天我们把羊合在一起放吧。"小伙子一听乐坏了,头点得跟小鸡啄米一样。就这样他们成了恋人,深深地相爱着。

从此以后,他们每天一起赶着羊群去放牧。春天,他们一边放羊一边挖山上的各种野菜,回到家后,姑娘把野菜做成美味佳肴送给小伙子吃;夏天,他们并肩坐在河边,小伙子用树叶做成口琴吹奏美妙的音乐,而姑娘就会伴着小伙子的音乐起舞。有时姑娘还会采来美丽的山花,小伙子就把这些花草编成花环戴在姑娘的头上,让姑娘来扮仙女;秋天,他们又会去采拾各种各样的山果,回家后姑娘把这些山果做成各种美味的果干,带在身上给小伙子做干粮;冬天,他们在山上堆雪人、打雪仗,顶着风雪却从不觉得冷。就这样一年过去了,小伙子和姑娘也准备要结婚了,他们乐得放羊的时候都忍不住唱歌。

有一天,天上的雨神路过这里,发现了这对幸福的年轻人,并且被美丽的腾尔深深地吸引,他想要她做自己的妻子。于是雨神来到他们的身边,对博斯说:"我是天上的雨神,我要带走这个美丽的姑娘,让她做我的妻子。"博斯紧紧地抱住腾尔大骂雨神无耻,腾尔也誓死不从。雨神丢了面子,恼羞成怒,为了报复,他连年滴水不降,于是造成草原大旱,百姓和牲畜都快要渴死了。

为了使草原上的百姓不再遭受涂炭,勇敢的博斯决定去找雨神决斗。他来到雨神住的雨山,与雨神大战了九九八十一天,终于使雨神屈服,为草原降下了甘露,并且保证以后不再胡作非为。但博斯却因过度疲惫,永远倒下去了。

博斯死了,百姓们都为族里失去了一个大英雄而难过,但是最痛苦的还是腾尔,她每天坐在两个人曾经坐过的草地上,不停地流泪。说来奇怪,她的眼泪一滴下来就汇聚到了一起,眼泪越聚越多,最后居然化作了一大片湖水。最后腾尔的眼泪流干了,她也因悲愤伤心过度死去了。

这一大片湖水就像甘甜的乳汁,世代养育着这里的牧民。为了纪念这对勇敢善良的年轻人,当地的牧民将该湖命名为"博斯腾湖"。

39. 梁子湖的传说

梁子湖位于武汉、黄石、鄂州之间,面积 3.2 万公顷。它以水称奇,名闻遐迩。它具备了四大特色:一曰"清",水体清洁,水质纯净;二曰"秀",湖山相连,水天相接;三曰"旷",梁子湖涸水时节水面方圆 300 平方千米,若至涨水季节,则扩至 700～800 平方千米;四曰"奇",湖中有宝岛,岛上有奇湖,湖心又有岛,景色十分秀丽。

梁子湖有不少美丽的神话传说。

相传这里本为高唐县。有一年,县民刘满江进京赶考后,高唐县突然下沉变成一片汪洋泽国,县民大多遇难,只有刘满江的妻子孟玉红及儿子刘润湖因事先得到某老道人指点,并借助两双"神鞋"之力幸免于难。刘满江进京高中状元回来后,只见昔日县城仅存一座桥梁旧址,便打算用"梁址"二字来命名此湖。其子刘润湖提醒父亲:"高唐沉陷,仅有我母子二人生还,为何不以'娘子'二字命名?"刘满江觉得独生子的话很有道理,况且,鄂州人讲话"娘"、"梁"声音差不多,"子"、"址"也没有太大区别,一语双关,就采纳了儿子的建议,于是就有了今天的"梁子湖"。据说,老道送给孟玉红母子的两双布鞋,后来掉入湖中,就变成了美味可口的武昌鱼。今天,在一定的气候条件下,还可以隐约看到湖中水下那座高唐县城古建筑的轮廓。所以,现在人们到梁子湖旅游,一定要设法观看奇特的水中城。

传说梁子湖还与东海龙王敖广有一点瓜葛。梁子湖本来叫樊湖。某日,最受敖广宠爱的小龙女,因耐不住寂寞,私出龙宫到人间游玩,爱上了樊湖山清水秀的好景致,又结识了一位风流潇洒的樊湖渔哥儿,以致耽误了归期。敖广得知此事,十分恼火,为惩罚胆大唐突的小龙女,便强令其变成鱼,暂时放逐长江,本打算教训教训她,煞煞其傲气后再接她回龙宫。岂料小龙女心高气傲,一不做二不休,干脆就跑到樊湖来,每天都在樊湖渔哥儿的渔船前后游玩。后来,小龙女的姐妹们来樊湖探望妹妹,并把小龙女变鱼的前

因后果都告诉给樊湖渔哥儿。

从此，人们把小龙女变成的鱼叫作"变鱼"，后来叫久了，声音变了，就叫成了今天的"鳊鱼"。渔哥儿知道"变鱼"就是小龙女后，对多情重义的小龙女十分敬重，便决意终身不娶，只和"变鱼"日夜厮守在湖中。渔哥儿去世后，渔人们为让他能够与"变鱼"终身相处，便将其骨灰撒葬湖中，并将小龙女变成的"鳊鱼"尊称为"娘子"，樊湖因之被叫成了"娘子湖"，湖心岛也就叫成了"娘子岛"。"娘"、"梁"同音，后来就渐渐叫成了梁子湖和梁子岛。

40. 东湖珞珈山的由来

　　武汉东湖，中国最大的城中湖，33平方千米的一泓碧水，勾勒出它婀娜多姿的身段和清丽的容颜，湖岸34座山峰紧紧环绕着这一池碧波，似34位亭亭玉立的少女，借平静如镜的湖水每天梳洗打扮。湖映山，山绕湖，自然风景优美，尤其是东湖南岸一座名为珞珈山的山峰，它的名字来历以及东湖的形成背后还有一个美丽动人的传说呢。

　　相传，当年南海观世音菩萨到西天佛祖那里商讨事情，当她返回普陀山时，途经长江中游的江夏（今武汉），觉得这里一马平川，赏心悦目，便招呼众随从稍作停留，驻足观看。突然，观音身边的玉女一不小心，把手中捧着的玉镜摔下了凡间。观音急忙与金童玉女下凡间察看破碎的镜片是否会伤及生灵。谁知由于长江中下游淤泥聚集，镜子摔破了却没有碎，而且化成了一

池碧水，这就是现在大家看到的东湖；镜框摔成了数截，化成了座座山峰，也就是现在环绕着东湖的 34 座山峰。

至此，观音仍然不放心，就停留在湖南岸的一座山峰上，再次仔细察看掉下的玉镜是否会给人间带来什么灾难。当她确认玉镜掉下没造成什么灾难后，才安心继续赶路，回到了普陀山。此后，人们就把观音落驾的山峰称为"落驾山"，后因落驾与罗家的音相近，而武汉人又喜用姓氏给地方命名，因此，一段时间，这座山峰又叫罗家山。后来在罗家山上建立了著名的高等学府武汉大学，第一任武汉大学文学院院长闻一多先生将其改成了充满文气的"珞珈山"，之后也就一直沿用了珞珈山这个名字。

相传，东湖原名天镜湖，后改名为沙湖，不久，由于洪水等原因，东湖与沙湖在隋唐年间分开而自成体系，而东湖因位于武昌城东而得名。

41. 阳澄湖的传说

唯亭镇北有个阳澄湖,湖水碧波澄清,连游鱼也看得见。可是原本这里却是块陆地,后来才下沉为湖。关于阳澄湖的形成,民间流传着一个优美动人的传说。

宋朝年间,有一户姓杨的人家。父亲在城里做官,儿子名叫杨成,在乡种田。杨成长得眉清目秀,善良又朴实。一天他上街买菜,看见一老渔翁手里有一条元宝状的金色鲤鱼,闪闪发光,就买下来带回家去。他走到半路,忽然听到女人的哭泣声,四面看看路上只有他独自一人,他感到奇怪,再一看,鲤鱼眼泪汪汪,张着小嘴,像在说话。小伙子急忙俯身倾听,只听鲤鱼说:"相公,我一时迷了路,从东海闯进吴淞江,被渔夫张网捉了起来,求相公开恩放了我吧。我父母不见了我,一定会急死。"小伙子想:谁家父母不爱子女? 于是就把鲤鱼轻轻地捧在手里,走到河边,放进了水中。只听"咕咚"一声,一个水花,鲤鱼就不见了。

原来这条鲤鱼就是东海龙王女儿的化身。她摆脱险境,游回龙宫。龙父龙母又惊又喜,听说人间这位小伙子心肠如此好,十分感动。

到了杨成该婚配的年龄时,村里有人给这小伙子做媒说了个姑娘。姑娘长得很美,柳叶眉,鹅蛋脸,葡萄眼睛水汪汪,皮肤白里透红,像是散花天女、月中嫦娥。

杨成和姑娘拜堂成亲,夫妻两人恩恩爱爱。可是好景不长,平地起了风

波。杨成在城里做官的父亲因为民办事不畏权势，被奸臣杀害了。恶毒的奸臣还不肯罢休，竟然派了人到杨成家里来灭门。差官把杨家密匝匝围了三层，全家人急得团团转，杨成一时也想不出应对的计策。此时，还是杨成的妻子聪明，她对丈夫说："不用急，天无绝人之路，我们搬个家吧。"说着，她从衣箱里拿出一本书来。说来也奇怪，书上没有一个字，是本无字大天书。原来这个杨成的妻子就是龙女，为报救命之恩，奉龙父龙母之命和杨成结为夫妻。她把书放在屋脊上，然后和杨成一家人安安稳稳地坐在屋子里。不一会儿，房子慢慢地往下沉。等到全部沉入地下，看不到屋顶时，只听轰隆一声，狂风大作，雷鸣电闪，地动山摇，地下冒出丈把高的黑水，一排排浪头胜过小山倒下来，凶狠的官兵都被淹死在黑水里了。

雨过天晴彩云飘，黑水变成绿水，杨家沉屋的地方变成了一潭湖水。人们对此感到十分惊奇，于是就把这湖叫作"杨成湖"。因为这湖面朝金灿灿的太阳，湖水始终清澈透明，以后，人们在书面上就写成"阳澄湖"了。那么，杨成和龙女到哪里去了？原来他们搬进龙王水晶宫里去了，夫妻俩在那里恩恩爱爱地过着幸福的日子。

42. 楞伽湖的传说

在西藏岗底斯山下,有一个小湖,那就是楞伽湖。与身旁著名的玛旁雍湖相比,楞伽湖一直较受冷落,也不为一般人所知。究其原因,除了因为湖周围没有温泉可以沐浴,且楞伽湖形状不美外,还有一个重要原因,那就是在印度古代《罗摩衍那的故事》中,这里是九头罗刹王的根据地,这也是难得的因传说而坏名在外的代表。

传说很久以前,在楞伽湖的岸边有一个小渔村,村里有一对年轻的男女,他们相爱了。女孩叫斯达,是这个村里最美的姑娘,男孩叫阿巴,是这个村里最勇敢的青年。他们两人经常一起上山砍柴,一起下湖打鱼,日子过得甜美而幸福。

住在楞伽湖底的九头罗刹王摩迦是个长着九个脑袋的乌龟精,有一天,他在湖底呆得久了觉得无聊,就到湖面上去透气,恰巧碰到了正在打鱼的阿巴和斯达。摩迦一下子被斯达的美丽所吸引,产生了把斯达据为己有的念头。

这天,风和日丽,碧空万里无云,阿巴又带着斯达到湖里打鱼。一路上斯达唱着动人的歌曲,阿巴一边划船一边笑个不停,不一会就打了满满一篓子又肥又大的鱼,两个人别提有多高兴了。就在他们准备收工回家的时候,湖面上突然刮来一阵黑风,紧接着船下卷起阵阵漩涡,可怜的小船就像一片树叶一样在湖面上打转。突然一个大浪袭来,斯达不见了。看到斯达被大浪卷走,阿巴焦急万分,一个猛子扎在水里找了很长时间,可是根本不见斯达的踪影,没办法,阿巴只好带着焦虑、不安与愧疚回到了村里。

阿巴找到村里的一位智慧的长者,向他请教。长者告诉阿巴:斯达是被九头罗刹王摩迦抢走了,你要趁摩迦没有和斯达成亲前去杀掉摩迦救出斯达,否则你将永远失去你的爱人。但是要想救出斯达你将承受这个世界上最难承受的痛苦,你愿意吗?阿巴坚定地看着长者的眼睛,大声地说:我

愿意！

长者拍了拍阿巴的肩膀说：楞伽湖中有两个岛屿。这两个岛屿中，一个叫拉觉托，是野鸟的栖息地；另一个叫托布色玛，有位天神住在那里。你要到托布色玛岛上，找到天神，用你的心换取他的宝剑，然后带着宝剑到楞伽湖底杀死摩迦，才能救出你的爱人。

就这样，阿巴背起行囊出发了，他在湖面上漂泊了十天十夜，终于找到那个托布色玛岛。阿巴赶紧上了岸，面对茂密的森林，听着野兽狂怒的叫声，阿巴突然觉得一阵寒意袭来，但是想到自己的爱人，他一下子勇气倍增，朝着森林里走去。又经过三天三夜的苦苦寻找，阿巴终于找到了天神的住处，他对天神说明了来意，天神拿出宝剑递给阿巴说：用它把你的心拿出来你就可以带走它了。阿巴接过宝剑没有犹豫，一下子插入自己的心房。一刹那，他感觉到一股冰冷的刺痛深入骨髓，痛得让他无法呼吸，甚至无法发出声音，但是他还是挺住了。他把一颗火红的心交给了天神，带着宝剑出发了。

阿巴来到湖底摩迦的宫殿，这时摩迦正在睡午觉，斯达就在旁边扇着扇子。看到阿巴，斯达再也忍不住了，一头扎在阿巴的怀里大哭不止，摩迦被哭声惊醒，咆哮着向阿巴袭来。阿巴举起宝剑，对着摩迦的九个脑袋就是一通狂砍，直砍得摩迦九头落地，挣扎着死去。

杀死了摩迦，救出了自己的爱人，阿巴用宝剑换回了自己的心，他们又过上了和从前一样的幸福生活。这就是关于楞伽湖的故事。

43. 纳木错湖的传说

　　纳木错湖,位于藏北高原东南部,念青唐古拉山北麓。藏语"纳木"是天的意思,所以该湖的名字是"天湖"之意,蒙古语则称其为腾格里海。湖面海拔 4 718 米的位置使其当之无愧地成为世界上海拔最高的咸水湖。纳木错湖东岸到西岸全长 70 多千米,南岸至北岸则宽 30 多千米,总面积达 1 920 多平方千米,是我国的第二大咸水湖。该湖位于藏北当雄县和班戈县境内,是西藏的三大圣湖之一。

　　关于纳木错湖名称的由来,在藏北民间流传着这样一个有趣的传说:

　　从前,有一位美丽、健壮的牧民姑娘,叫格林高娃。她长年累月地在藏北的草原上放牧牛羊。一个春日的晌午,正在放牧的格林高娃突然觉得睡意袭来,不由得躺在草地上睡着了。睡梦中,她看见从唐古拉山上下来一个穿白衣、戴白帽、骑白马的英俊男子来和她幽会。不久,格林高娃就怀孕了,后来她生下一个男孩。格林高娃给孩子取名叫神赐,她确信这个孩子是唐古拉山神赐给她的。那孩子长得特别快,五六岁的时候就长得跟二十几岁的小伙子一样高大强壮,而且力大无穷。

　　在格林高娃住的帐篷旁边有一块巨大的石头,一直没有人能搬得动它。据老人们说,巨石下有一口井,与大海相通,任何人也不能搬动那块巨石,否则后果不堪设想。但是,那孩子的好奇心强,人人都说自己的力气大,他想试试自己能不能搬动这块从来没有人能搬得动的石头。于是他趁老人们不在的时候,就偷偷地跑去搬石头了。他用双手抱住岩石,正准备发力,谁知只轻轻一抬,那块岩石就被抱了起来。

　　这下他可乐坏了,心想:原来没有人能搬得动的石头对自己来说简直就

是小菜一碟。他把石头放在旁边，向自家帐篷走去，他要向他的阿妈好好炫耀一下，刚走到帐篷门口，忽听背后"嘭"的一声巨响，回头一看，巨大的水柱、滔天的巨浪直涌过来。他慌忙地跑进帐篷，背起妈妈，就向高山上跑去。当他们跑上了山顶后，朝下一看，整个村庄已经被淹没了，而且水位还在不停地上涨，仿佛要把整个世界淹没一样。格林高娃见状，赶紧吩咐儿子搬山来挡水。就这样，神赐从唐古拉山的阳坡搬来18座峰，从阴坡搬来19座岭，终于挡住了大水，这些峰、岭把水围起来，就成了现在的纳木错湖。

好不容易把水挡住了，可是家园没有了。为了生活，神赐就上山赶了100头野牦牛回来，让妈妈喂养。有一天，格林高娃喂完牛忘记了关上栅栏的门，一不留神，有50头野牦牛逃跑了，这就是现今藏北野牦牛的祖先。而没能逃出的50头野牦牛，后来就繁衍成现今的家牛。

有一天，神赐上山砍柴，遇到了一个穿白衣、戴白帽、骑白马的人，那人自称是唐古拉山神，并说可以带他去一个神奇的地方。说完就把他带到山上的一座用水晶建造的宝库前，库里装满了金银财宝。那人命他闭上眼从库里抓三把东西，说抓到什么，就给他什么。神赐第一把抓出来的是盐，第二把抓出来的是碱，第三把抓出来的是一对白绵羊。神赐高高兴兴地把这些东西带回家。

后来那些盐和碱就成了今天纳木错湖产出的盐、碱的来源，而那对白绵羊不断地繁衍，就成了今天沿湖草原上盛产的白绵羊。

44. 玛旁雍湖的故事

玛旁雍湖又称玛法木错湖，藏语意为"永恒不败的碧玉湖"。在西藏阿里地区普兰县城东35千米，神山岗仁波齐峰之南，纳木那尼雪峰北侧，是中国最大的淡水湖。玛旁雍湖平均海拔4 500米，是世界上最高的淡水湖，藏民所称三大"神湖"之一，也是亚洲四大河流的发源地。唐代玄奘在天竺取经记中称，此湖是西天王母瑶池之所在地。传说湖底聚集了众多的珍宝。天气晴朗时，湖水蔚蓝，白云雪峰倒映其中，湖周远山隐约可见，景色奇美。

许多宗教典籍和传说中都曾记载描述过玛旁雍湖。其中有这样一个传说特别引人入胜。

传说，有一年雨神乌拉到人间寻访名山，在当他到达喜马拉雅山的时候，遇到了一场从未有过的暴风雪，由于旅途劳累和暴风雪的冲击，乌拉晕倒在了喜马拉雅山上。当他醒来的时候，几乎不敢相信自己的眼睛。他以为自己死了，没想到自己居然躺在一座宫殿里，一个美丽的女神正坐在他的身边。

原来，在暴风雪来临的时候，喜玛拉雅山的女儿、美丽善良的乌玛女神就开始巡逻了。她要拯救那些被暴风雪困住的小动物，奇怪的是这次走了一路都没有发现被困住的小动物。正准备结束这次巡逻时，她发现了被埋在雪中的乌拉，看着几乎被冻僵的乌拉，善良的乌玛心里非常难过，赶紧把他救回了家。

了解了事情的经过以后,乌拉真不知道该怎么向乌玛女神表示感谢。由于乌拉的手脚都被冻伤了,他无法继续行走,只好留在乌玛的宫殿里养伤。美丽善良的乌玛女神,每天都无微不至地照顾着乌拉。一转眼,一百年过去了,乌拉的冻伤已经痊愈了,他又可以继续寻访名山了,可是这时的乌拉却不愿意走了。因为在这一百年里与乌玛女神朝夕相处,让他深深地爱上了这个美丽善良的公主,同时公主也爱上了乌拉。于是乌拉决定留下来,与乌玛一起修行,一起去解救那些被暴风雨困住的生灵们。

　　乌玛的宫殿里什么都好,有美丽的花,有碧绿的草,还有各种各样的小动物,但是有一样是非常遗憾的,就是这里无处沐浴。乌玛每次想要沐浴都要提前好多天采集雪山上的冰雪,装在大木盆里,正午时分,借助太阳的光芒把冰雪融化,然后才能沐浴,非常不方便。

　　乌拉对乌玛女神非常关心,为了表达对乌玛的感谢,更为了表达对乌玛的爱,雨神乌拉决心要造一片湖泊,专门用来给乌玛沐浴。有了这个想法以后,乌拉就处处留心,他要找到一个集天地之灵气的地方,给自己心爱的女人造就一片洁净的好去处。有一天,两个人出去散步,来到了神山岗仁波齐峰。当他们登上山峰极目远眺的时候,乌拉一阵欣喜,他知道他理想中的那个集天地之灵气的地方终于找到了。

　　为了给乌玛一个惊喜,乌拉抑制住了自己的狂喜。到了晚上,趁乌玛熟睡的时候,乌拉来到了神山岗仁波齐峰的南侧,他开始使用自己的魔法降水。第一天夜里,他把整片的土地都浸湿了;第二天,湿润的土地上形成了一个个的小水洼;第三天,小水洼连成了一片……就这样,一连一千个夜晚,雨神乌拉都没有睡觉,终于为自己心爱的人修造了一片可供沐浴的集天地之灵气的湖泊。

　　当第一千零一天的太阳升起的时候,乌拉带着乌玛来到了神山岗仁波齐峰,举目远眺,乌玛惊呆了。后来,雨神乌拉娶了乌玛女神,他们每天都到这片湖泊里来沐浴,乌玛给这片湖泊起了个非常动听的名字玛旁雍湖。

　　后来的朝圣者都以到过此湖转经洗浴为人生最大幸事。信徒们认为,这里的圣水能洗掉人们心灵上的"五毒"(贪、嗔、痴、怠、嫉),清除人们肌肤上的污秽。

45. 泸沽湖的传说

泸沽湖位于云南宁蒗县北部永宁乡和四川省盐源县左侧的万山丛中，这片美丽水域是川滇两省界湖，一直以来它就有着"高原明珠"、"滇西北的一片净土"、"东方第一奇景"等美称。

泸沽湖古称鲁窟海子，又名左所海，俗称亮海。在纳西族摩梭语中，"泸"为山沟，"沽"为里，意即山沟里的湖。泸沽湖湖面海拔 2 680 米，平均湖深 45 米，最深处达 93 米，是中国最深的淡水湖之一；湖水清澈蔚蓝，最大能见度为 12 米，也是世所罕见的至今未被污染的处女湖。

关于泸沽湖的形成，当地流传着这样一个有趣而生动的传说。

在很久以前，泸沽湖这一地带并不是湖，而是一片美丽安宁的小村庄。村子里有个小男孩，在他很小的时候，他的父母就在一次意外中双双身亡了，剩下他一个人。村子里的人看这个孩子可怜，就挨家轮流给这个孩子送饭吃，渐渐地这个孩子长大了。他非常勤劳也非常独立，为了报答乡亲们的恩德，也为了能够养活自己，这个孩子开始给乡亲们放羊。

小男孩每天到附近的狮子山去放牧。由于他的勤劳实在众人皆知，人们都放心地把羊群交给他。他也不负众望，总是把牛羊喂养得肥肥壮壮的。

有一天，轮到村里的一个老奶奶给小男孩做饭，但是老奶奶记性不好忘记了，小男孩中午没有吃到饭，又因为放羊劳累，他实在是没有力气走了，就在山上一棵树下睡着了。他做了一个梦，梦见一条大鱼对他说："善良的孩子，你很可

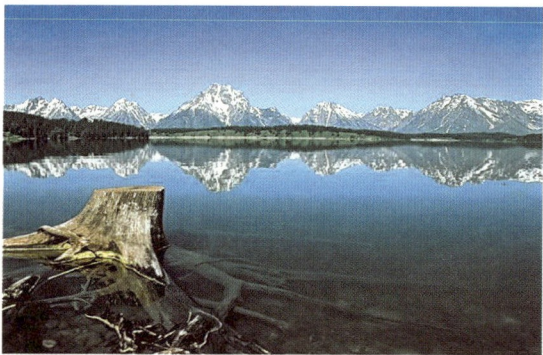

怜，从今往后，你不必再到乡亲们家中吃饭了，就割我身上的肉吃吧。"

小孩醒来后，就在山上找啊找，终于在一个山洞里发现了那条大鱼，于是他就割下了大鱼的一块肉烧吃了。鱼肉香喷喷的，吃完后浑身暖洋洋的，也有了更大的力气，可以更好地放羊了。第二天，他又去了，奇怪的是鱼身上昨天被割过肉的地方又长满了肉，小男孩又美美地吃了一顿。就这样，小男孩每天在山上吃鱼身上的肉，不再去乡亲们家中吃饭了。

村里有一个叫张三的人，当他知道小男孩不再去老乡家吃饭以后觉得很奇怪。有一天，他偷偷地跟在小男孩的后面，发现了这个秘密。张三是村里有名的贪心鬼，他马上就动了将这条大鱼占为己有的邪恶念头，于是他赶紧去约了一帮臭味相投的贪财之徒来到这个山洞，他们用绳索拴住鱼，赶着九匹马九头牛一齐使劲拉，终于把鱼拉出了洞口。

鱼被拉出山洞的同时，灾难也降临了。随着一声巨响，洪水从山洞中喷涌而出，顷刻间就淹没了村庄，后来这片土地就变成了现在的泸沽湖。

据说洪水袭来的时候，有一个摩梭女人正在喂猪，她的儿子和邻家的女儿在旁边玩耍。这个女人见洪水冲来，急中生智，把两个年幼的孩子抱进了猪槽，自己却因来不及逃跑而葬身水底。两个孩子坐在猪槽里一直在水上漂流，后来漂到了岸边被人们救起。他们成了这个地方的祖先。人们为了纪念那位伟大的母亲，就拿整段木头做成"猪槽船"，泸沽湖也因此被称为母亲湖。

46. 赛里木湖的传说

赛里木湖位于我国新疆维吾尔自治区西部伊宁市的西面,丝绸之路的北面。赛里木湖湖面海拔 2 073 米,东西长约 30 千米,南北宽约 25 千米,是新疆海拔最高、面积最大的高山冷水湖。它以秀丽神奇的自然风光享誉古今、闻名中外。

赛里木湖像一颗璀璨的"蓝宝石"高悬于西天山之间的断陷盆地中,湖边群山环绕,水天相映。长期以来,关于赛里木湖还流传着湖怪、湖心风洞、漩涡与湖底磁场等传说,这给美丽的赛里木湖蒙上了一层又一层极富魅力的神秘面纱。

关于赛里木湖,当地一直流传着这样一个美丽动人的传说。

在很久很久以前,赛里木湖根本不存在,这个地区叫赛里木,是一个处处长满绿草盛开着鲜花的美丽草原。人们在这片无边的草原上过着快乐富足的生活。有一天,一对年轻的夫妇为了避难来到这里,当时妻子已经怀有身孕,丈夫为了照顾自己的妻子,一路上经历了千辛万苦。当他们踏上草原的那一刻,就被这片美丽的草原景色深深吸引,于是他们决定留下来。

当地的牧民善良且好客,当他们得知这对夫妇准备在此定居后非常高兴,纷纷拿出家里的东西送给这对夫妇,并且还帮他们搭建了一个蒙古包。在牧民们的帮助下,年轻的夫妇安定下来了。不久,妻子生下一个美丽的女孩,夫妻俩非常高兴,给孩子取名叫可心。

可心从小就是个美人坯子,而且聪明伶俐,草原上的牧民都非常喜欢她,并且亲切地叫她"草原公主"。日子一天天地过去,一转眼就是 17 年,小可心已经长成了端庄美丽的大姑娘,上门求亲的人更是络绎不绝。

村子里有一个叫雪得克的蒙古族青年男子,年龄与可心相仿。这个小伙子非常了得,不管是摔跤还是射箭,他每次都能拿第一名。有一次,族里组织射箭比赛,雪得克以一箭双雕的成绩稳夺桂冠,从此人们给了他一个"草原英雄"的称号。

可心与雪得克从小一直玩到大,可谓青梅竹马。小时候两小无猜,但是长大了的可心心里渐渐有了自己的心事,她爱上了这个让整个草原上的牧民都为之骄傲的"草原英雄"。所以,尽管提亲的人几乎踏平了门槛,可心仍然一心想着雪得克。

傻傻的雪得克并不知道可心的心思,尽管可心多次暗示,他仍然是愣头愣脑的。后来,可心的父母看出了女儿的心事,就把雪得克请到家里作客,并且告诉他愿意把女儿嫁给他。雪得克真是又惊又喜,不知道怎么表达自己的谢意,一口气喝干了一坛子酒。

就这样,美丽的可心如愿以偿地许配给了勇敢的雪得克,人们都觉得他们是天生一对、地造一双。草原上的人们奔走相告,连连称赞,欢快的气氛久久地弥漫在草原之上。

在草原上的一个角落里,住着一个魔鬼,当他知道这件事时非常愤怒。他产生了邪恶念头,企图拆散可心与雪得克的美满姻缘。

正当可心与雪得克两人准备拜堂成亲的时候,凶恶的魔鬼出现了。他本想杀死这对恋人以消愤怒,但是当他看到可心的时候,一下子被可心的美丽吸引了。他将可心抓入了魔宫,要可心做他的妻子。可心誓死不从,趁魔鬼睡觉的时候逃出了魔宫。可是没跑多远就被魔鬼发现了,魔鬼很快就追了上来。眼见就要被魔鬼抓住,可心无处可逃,见前面有一口枯井,便挥泪跳了进去。当雪得克历经千辛万苦赶来相救时,发现可心已经死去,悲痛万分的雪得克随即也跃入井中殉情而死。刹时,井里涌出滚滚洪水。大水淹没了草原,最终汇聚成了今天的赛里木湖。

老人们都说赛里木湖是由这对为爱殉情的年轻恋人的眼泪化成的。

47. 五大连池的故事

　　五大连池位于黑龙江省境内,面积为 18.47 平方千米,属于火山堰塞湖,当地景色秀丽宜人。

　　关于五大连池的由来,当地有着这么一个传说:五大连池是由天宫的五位莲花仙女幻化而成的。

　　据说在王母娘娘的瑶池里有五位仙女,她们的真身是瑶池里的莲花,所以天宫里的人们都称她们为莲花仙女。五位仙女每日守在瑶池,为王母娘娘的蟠桃会做准备。由于瑶池的蟠桃大会五百年才开一次,其余的时间几位仙女都没有什么事可做。而莲花仙女生性好动,日子久了不免感到生活寂寞,于是她们经常私自聚集在天门口,窥视人间。

　　一日,她们发现北方有一个地方地域辽阔,山色秀美,景致似乎美过天宫,非常好奇,于是便动了下凡游玩之心。五姐妹当中的三姐性格直爽、主意多且胆子大,她对众姐妹说:"蟠桃大会五百年才开一次,余下的时光如此难耐难熬,咱们何不凡间一游?"众姐妹早有此心,听老三这样一说,纷纷点头赞同。于是五人便驾祥云飘然而下,落地后就变成了风姿翩翩、神韵各异的五位俊俏姑娘。

　　初次下凡,见到宛若成群少女似的桦林,青翠欲滴的山峰,色彩缤纷的花草,狂奔跳跃的獐、狍、野鹿等这些从未见过的奇观丽景,五位仙女不禁心花怒放,个个赞不绝口。但走来走去走了好久,发现此地竟然没有一片湖泊池塘,让人心生遗憾。于是大姐说:"如果在这里建造一片湖泊,那样山水相宜,岂不是更美!"五姐妹纷纷表示赞同,决定下次再来时,偷取瑶池内的仙水倾倒此地,以造湖泊,以彰美景。

　　时间过得飞快,谈笑之间就到了正午时分,耳听金鼓齐鸣,眼见天门洞开,五姐妹心知时间已到,虽然并未尽兴,也只好蜿蜒相随,匆匆返回天庭。

　　天上一天,地上一年,五仙女返回天宫已有千日,地上这个美丽的地方

也已过千年。这一天，五位莲花仙女又从天上飘下，每人手持一枚金盅，盅里盛满了瑶池仙水，准备在此造湖。

五人漫步山中，真是看不够的人间美景，赏不尽的山丘花草。正在兴致正浓之际，忽听天庭连声鼓响，狂风大作，杨二郎率天兵天将腾云驾雾而来。五姐妹知道行踪暴露，无奈只好化回莲花身，藏匿于山中。

杨二郎凌空巡视一阵之后，发现地上有五朵莲花并蒂开放，但山中并无水池，知是五女的化身，便喝令现出原形。五仙女无奈只好化作人身站立地上。杨二郎厉声斥道："尔等违抗律条，背反天庭，私自下凡，贪恋人间，且又窃取金盅，偷蓄仙水，泄露天机，罪不可恕，还不快随我回天庭受罚！"

此时，五姐妹心知返回天庭就算不死也要被贬为妖孽永世不得翻身，还不如留在人间，造福人类。于是五姐妹齐声说道："宁可永驻人间，绝不返回瑶池！"杨二郎不允，令天兵天将抢夺金盅仙水，驱赶五仙女回天。五姐妹万般无奈，将金盅连同仙水摔落在地。

仙水落地，地上立即冒出五池清水。杨二郎见仙水泼出无法收回，不知如何处置，赶紧返回天庭，向王母娘娘报告。王母一听大怒，下令将五仙女贬在此地，令其永为池身，不得返回瑶池。

五姐妹虽离仙境，但了却了一番心愿。此后，五姐妹携手相伴，池身相连，造福人间。池底是金盅，池身有仙女衣裙上的玉石，所以当地人们说五大连池是"金子铺底，玉石镶边"，五大连池又被称为五大莲池。

48. 莫愁湖的传说

　　美丽而古老的莫愁湖位于南京水西门外,在宋元明清时就有"金陵第一名胜"和"南京第一名湖"之称。在远古时期,古代长江干流一直是沿着城西流过,而秦淮河也正是从这里注入长江,在河口的附近逐渐淤积成一个个沙洲。随着长江干流逐年向西移动,泥沙不断在南岸淤积,慢慢发展成一片开阔之地,而低洼之处成为秦淮河入口的汉江河道,以后又屡塞屡疏,就形成了一些洼地、池塘和湖泊。莫愁湖正是在这种自然变迁的过程中出现的,距今已有一千多年的历史。

　　莫愁湖古代称"横塘",因与石头城相近,人们又称其为"石头湖"。后来之所以叫做莫愁湖,相传是因为六朝时有一名叫莫愁的女子曾在此居住,并留下了一段美丽动人的传说,人们为了纪念她而起此名。

　　相传莫愁是河南洛阳人,原名翠莲,幼年丧母,与父亲相依为命。她文静,聪明好学,采桑、养蚕、纺织、刺绣样样拿得起来。邻居家的小孩念书,她听着记着,不但识得些字,连诗文也能吟咏几句。十五岁那年,父亲在采药途中不幸坠崖身亡,翠莲因家境贫寒,只得卖身葬父。

　　当时中山王赵启到洛阳办事,见翠莲纯朴美丽,很同情她,便帮助她料理了爹爹后事,带她来到建康(南京),从此,翠莲进了王府,成为王府的一名

丫头。翠莲美丽贤惠,勤劳朴实,府里的姐妹都很喜欢她,但是翠莲刚刚失去了父亲,身在异乡,孤苦零丁,终日愁眉不展,郁郁寡欢。

一日,翠莲休假,来到王府后花园,见到花儿娇艳,鸟儿鸣唱,不觉感伤自己的身世凄凉,随又愁眉紧蹙,暗自垂泪。恰巧公子赵成去给母亲请安路过此地,一见翠莲,顿生怜爱,随即找母亲讨来做了自己的丫头。赵成见翠莲经常眉头不展,便想出很多办法逗她开心,为了能有更多的时间跟翠莲在一起,便让翠莲做伴读,每日伴他读书,并且为她取了个新的名字——莫愁,意思就是:不要再发愁了,有我呢。在赵成的关怀下,渐渐地莫愁真的开朗起来了。两个人朝夕相伴,日久生情,遂默定终身。

赵启为了扩大自己的势力,与丞相府攀亲,想让儿子赵成娶相府千金为妻。这赵成虽然出身王府,但他并不像许多纨绔子弟那样荒淫无度,对待感情颇为认真,况且对莫愁早就一见钟情,又默定终身,怎么能娶相府千金呢?于是他断然拒婚。赵启见儿子拒婚,拍案大怒,于是把儿子房中所有的丫环书童拉来拷问。

当赵启得知原委之后,更是气愤万分,随即将赵成锁在了书房中,把莫愁囚禁在冷房内。三个月之后,赵启为儿子娶来相府千金邱彩云。洞房花烛之夜,赵成愤怒地出走,来到冷房寻找心爱的莫愁。

两人一见面就抱头痛哭,互相倾诉着别离之苦。赵成的行为气坏了相府千金邱彩云,但是彩云是个颇有心计的女人。为了稳住赵成的心,彩云将莫愁接回了府中,表面上与莫愁姐妹相称嘘寒问暖,实际上派人处处监视,时时虐待。她经过一番精心打探,终于得知赵成最喜欢莫愁那一双明亮的眼睛。

有情人不能终成眷属是赵成最大的遗憾,婚后赵成郁郁寡欢,忧郁成疾。彩云为了让赵成忘记莫愁,就诱迫太医,强挖莫愁一双眼睛作药引。莫愁悲愤交加,投湖而死。赵成得知后更是痛不欲生,也投湖殉情。后来两人双双化作荷花、荷叶,永相伴随。为了纪念这对男女感人至深的爱情,人们把这片融汇了两人恩爱的湖叫作莫愁湖。

水文化教育丛书

49. 洪泽湖的故事

洪泽湖位于江苏省洪泽县西部,发育在淮河中游的冲积平原上,为我国五大淡水湖中的第四大淡水湖。早在 200 万年以前这里是古代海滨的一个泻湖,由于巨流大川的冲积,泻湖逐渐退居内陆,分裂成许多小湖。秦汉时代,它们被称为"富陵"诸湖。后因黄河多次改道夺淮,淮水泛滥成灾,加之泥沙淤积,湖底垫高,使原来许多小湖逐渐汇成一个越来越大的"悬湖",这就形成了洪泽湖。洪泽湖原名破釜涧,隋朝时隋炀帝路经此地时天降大雨,见湖水在大雨中波涛汹涌,一时兴起,便把破釜涧改名洪泽浦。洪泽者,大水积聚之处也。唐初正式定名为洪泽湖。

关于洪泽湖,流传着很多传说。

在很久之前,据说洪泽湖原来并不是湖,而是一座很漂亮很富有的县城,叫做洪泽城。县城里有一个叫李小二的小伙子,从小就失去父亲,家里特别穷,每天靠打柴为生,与老母亲相依为命。李小二从小就对母亲特别孝顺。母亲年纪大了,身体需要营养,因为没有钱给母亲买补品,李小二总是打完柴以后还要跑去找鸟窝,掏些鸟蛋回家煮给母亲吃。为了掏鸟蛋,每次都被划得浑身是伤,但是他却非常开心。乡邻都称他是个大孝子。

就这样,他每天上山打柴掏鸟蛋,打好柴担到集市上去卖,卖了钱,就去

买米，然后就回家做饭，服侍老母亲。如果哪天打不到柴没钱买米，他就去讨饭，讨到饭他一口也舍不得吃，拿回家等老母亲吃饱了，余下多少他就吃多少，没有余下的他就不吃。

有一天，他从山上刚打好一担柴回来，走到一座桥上，有位老人挡住了他的去路。他只好放下柴担，好言对挡住他去路的老人说：老大爷，您挡我的路不要紧，可是如果我今天不把这担柴卖了，我老母亲就要挨饿。这位老人一听，笑着点头说："果真不错，是个名副其实的孝子。好吧，我告诉你一件事，这城池要沉了，你赶紧带着你母亲走吧！"李小二一听，傻傻地摇摇头说："怎么会呢？"这位老大爷捋了捋胡须说：你看，这里有两只石狮子，等到它们的眼睛红了，这城池就沉了。说完，李小二一抬头，老人不见了。

李小二卖完柴，买上米，急急忙忙往家里赶，他把这一事情的来龙去脉完完整整地跟老母亲说了一遍。母亲也是善良的人，一听这个消息，急切地让李小二告诉乡邻们，可是乡邻们不相信，认为李小二穷疯了，胡说八道。人们怀疑地问："这石狮是石头做的，怎么会眼睛红了呢？"李小二想想也是，石狮的眼睛怎么会红了呢？于是他也不在意，还是天天去打柴。

再说这城北有个杀猪的人，他听了李小二的话，想来个恶作剧，于是乘夜晚杀猪之时，把猪血涂在石狮的眼睛上。李小二上山打柴回来，远远看到两只石狮的眼睛透红，便赶紧放下担子，迅速地跑回家，背起老母亲拼命地往山上跑。当他跑到山上回头看时，原来的城池转眼间成为汪洋一片，从此以后洪泽城就成了洪泽湖。

50. 洪湖的传说

水文化教育丛书

　　洪湖是湖北省最大的淡水湖,也是全国七大淡水湖之一,位于洪湖市境内西南部,自新堤镇西行 4 千米即可抵达湖东岸边。洪湖面积 402 平方千米。全湖呈多边几何形,湖岸平直,湖底平坦。湖水呈淡绿色,大部分湖面绿水荡漾,清澈见底。

　　相传,洪湖地区以前是一座县城,叫做圣泉县。圣泉县原先有一口井泉,井水格外清澈,味道也特别好,人们称之为"圣泉",圣泉县就这样得名。

　　有一年,这里来了一个叫文末的县官。文末是一个贪财好色的坏官,一上任就横征暴敛,强抢民女,无恶不作。当他知道这里有这样一口井后,就动了坏心眼。他找来心腹,让他们去调查这里一共有多少口水井,不到半天工夫,心腹们就把这个县十里八村的井都找到了,然后回到县衙向他报告。于是他就带着衙役把这些井都填平了,然后私自把圣泉改成了官泉。

　　井都被填平了,老百姓没有水喝,只能到官泉来打水。官泉里的水可不是随随便便就可以取走的,每打一桶水,要交五百文铜钱。老百姓没办法只好忍气吞声,花钱买水。通过这种卑劣的方式,文末一下就发了大财,可是却害苦了圣泉县的百姓们。

　　在圣泉县有个穷书生叫圣文龙,他的家境十分贫寒,为了买水已经变卖了家里所有能卖的东西,这天实在是没有东西可卖了,老母亲又生病在床,渴得嘴唇干裂、奄奄一息。因为没有钱买水,眼看老母亲将被活活干死。圣文龙又气又恨,跑到县衙门前,击鼓鸣冤找县官文末理论。恰巧,文末前一天晚上

做了个梦，梦见衙门口石狮子嘴里流血。文末心想这次必有大难。他心里正焦躁不安，突然有人上报圣文龙击鼓鸣冤，心想老子心里正不舒服，你还来找事，这是存心给老子添乱来了啊。心里这样一想气就不打一处来，于是就怒气冲冲地上了堂。

圣文龙一见肥头大耳的文末，突然想起了骨瘦如柴、奄奄一息躺在病床上的老母亲，当时一股无名之火就涌上心头，指着文末的鼻子就是一阵痛骂。文末心里本来就很不爽，加上一上堂被人骂得狗血喷头，当时真是气得鬼火直冒，当场就吩咐衙役捉住圣文龙，把他毒打了一顿。之后文末仍不解气，又命人把圣文龙丢到一口枯井里，用铁板盖严井口，上了铁锁，还在井口上竖上一根铁柱，上面刻了八个大字："铁树开花，逆龙归家。"

事后三天，百姓们得知了圣文龙被抓的事情，实在是忍无可忍，于是一齐拥到县衙门前，要求放出圣文龙，并且把圣泉水还给老百姓。文末大怒，一气之下把所有的人都抓进了监牢。文末的横行霸道终于激怒了天上的神灵，观音菩萨命身边的仙童下凡来拯救百姓。

一天，文末正在睡午觉，突然有人来报，门外有一书生，长得跟圣文龙一模一样，正在门外辱骂文末。文末大惊，难道圣文龙跑出来了？于是赶紧出来抓人。衙役们正要抓人时，书生将一个荷叶包向文末扔来，不料打中了石狮子的嘴巴。只听得轰隆一声，震得房屋摇晃起来，一道白光从枯井中冲出，直上云霄——原来是仙童将圣文龙变成了一条神龙。紧跟着一声炸雷，大雨倾盆，圣泉井水也涌了出来。就这样，大雨一直下了几天几夜，泉水也涌了几天几夜。水淹了县衙，文末和衙役们统统被淹死了。

在仙童的解救下，百姓都逃离了洪灾，到其他的地方开辟了新的家园。慢慢地，圣泉县全部被淹没了，变成了无涯的洪湖。

51. 玄武湖的故事

玄武湖位于江苏省南京市,面积为 3.7 平方千米,最大深度 2 米,平均深度为 1.14 米。玄武湖有梁洲、樱洲、环洲、菱洲、翠洲 5 座小岛,绿树环绕,曲径通幽,湖水清澈,碧波荡漾,与古城墙和南京火车站相映成景,别具特色。

关于玄武湖,有着一个美丽的传说。

相传古时候,紫金山上紫气蒸腾,山上长满了奇花异草,生活着许多的珍禽奇兽。山脚下的玄武湖里更是烟笼碧波、湖水幽深,犹如仙境一般。湖中住着五条神龙,保护着这片水域里的水族们。

不知过了多少年,到了明朝的时候,开国皇帝朱元璋定都金陵,为了日后能有个安葬的好去处,便让军师刘伯温为他在金陵城内四处寻找风水宝地。

自从接受了这个任务,刘伯温就开始四处寻找,鉴于西北地区有滚滚长江围绕,并非天子安身之处,便往南方和东方寻找。在南方,他找到了雨花台,这里虽说风景别致,但是总归缺少些藏龙卧虎的霸气。

这天,刘伯温闲来无事,带着侍从登上紫金山,从山上往山下一望,大吃一惊,只见那玄武湖中隐隐有波涛翻滚。刘伯温乃精通天文地理及阴阳占卜术之人,一眼便看出湖中藏有神龙,掐指一算,居然有五条神龙。这下刘伯温心中非常高兴,心想:这可真是块货真价实的"龙地"啊。皇上日后若能安葬在此,我大明的江山则可万世永固也!

于是刘伯温赶紧下山,兴冲冲地赶去皇宫向朱元璋禀告。不想半路上却遇见了马娘娘,马娘娘见刘伯温兴冲冲的样子,便问他有何喜事。刘伯温

便把找到玄武湖这片宝地的事情告诉了马娘娘。马娘娘一听要把皇帝葬在湖底大为不悦,问道:"那军师你日后葬在哪里?"刘伯温一想雨花台不错,便答曰:"葬在雨花台。"

马娘娘听后差点气晕过去,心想你自己选了一块高地,却将皇上葬在玄武湖里让水泡,你安的什么心呀?马娘娘是个非常有心计的女人,听了刘伯温的话虽说十分气恼,但却掩饰住了心中的不悦,对刘伯温说:"你先回去歇息,我替你转告皇上便是。"第二天,朱元璋龙颜大怒,把刘伯温叫来一顿训斥,责备刘伯温不该给自己选择了一个大水池作为百年之后的安身之地。

刘伯温一听,知道皇上误会了,忙解释说:"玄武湖中住有五条神龙,是一块不可多得的龙地呀!"

朱元璋和马娘娘根本不信,非要亲眼看见才信,刘伯温为了保住自己的脑袋,只好带着朱元璋和马娘娘来到了台城之上。只见刘伯温嘴里念着咒语,举手向湖中一劈,顿时天昏地暗、电闪雷鸣,湖水汹涌翻滚。刹那间,在一道闪电中窜出五条青龙腾空而去。

风平浪静之后,刘伯温叹息着说:"龙飞走了,皇上日后的龙座也……"

朱元璋和马娘娘知道自己错怪了刘伯温,十分后悔,而现在神龙已经飞走了,更是追悔莫及。

自从那五条青龙飞走了以后,玄武湖的湖面便缩小许多,有的地方露出湖底,成了陆地、长堤。而现在湖内的梁洲、樱洲、环洲、菱洲、翠洲,据说就是那五条神龙曾经住过的地方。

52. 微山湖的传奇故事

在山东省济宁市微山县境内有一个微山湖,湖泊是由微山、昭阳、独山、南阳四个彼此相连的湖泊组成,40多条河水汇流注入湖中,使得微山湖成为我国北方最大的淡水湖。

在这个湖泊里,荡漾着一个传奇的故事……

相传在很久以前,微山湖并不存在,这里是一座长几十里、高几百丈的巨山,叫做微山。

那时候在这座大山的山腰上住着一户人家,祖孙二人相依为命。茫茫的荒山,人烟稀少,举目无亲的爷孙凭借自己勤劳的双手,在荒山上开垦了几亩山坡地,依靠种些庄稼来过生活。日子虽然穷苦,但是爷孙二人总是很满足,舒心地过着平淡但却安稳的每一天。

就这样过了十几年,小孙子渐渐地长成了一个大小伙子,爷爷也变得更老了。在小孙子二十岁那一年,豆子快要成熟了,爷爷和孙子看着田地里又胖又大的豆荚,高兴得合不拢嘴,预料着今年是个大丰收年,明年就不怕断粮了。

一天夜里,月亮像一面明亮的铜镜高悬在空中,稀疏的星星眨着眼睛。按捺不住喜悦心情的孙子又跑到地里去看饱满的豆子,不想却一眼看见一个白胡子老爷爷,正赶着一群绵羊在豆地里吃豆。小孙子非常生气,急忙跑过去不解地问:"老爷爷,您怎么在我们家的豆地里放羊啊?您知道我和爷

爷多么辛苦才种出这些豆子的吗?"老人捋捋胡子,认真地回答说:"今年的豆子收不成啦,十天之内,这座巨山会崩塌的,这里也将变成一片汪洋大湖,豆子还能丰收吗? 这么好的豆子,不如喂养我的羊呢!"老人顿了顿,又语重心长地说:"你们爷孙俩都是好人啊,乘汪洋大水还没有来,和你爷爷赶快朝着太阳升起的方向走吧,这里不能久留啦。还有,这座山脚下也有一户人家,家里有一个瞎眼睛的老太太和她的女儿,你们走的时候到山脚下把她们一起带走吧。"说完,老人立刻化作一阵清风消失了,就连正在酣食豆子的绵羊也随风而逝了。

孙子来不及多想,一溜烟跑回了家,把刚刚发生的事情一五一十地告诉了爷爷。爷爷听了之后,明白这是上天派来的神仙救自己和孙子的,于是连夜收拾行李,带着孙子朝着太阳升起的地方奔去。到了山脚下,他们找到了老神仙说的那户人家,把这个消息告诉了她们,让她们一起离开。可是,年轻的姑娘一个人没办法带上瞎眼睛的老娘,这下可把姑娘难坏了,这时小伙子挺身而出,背上老太太就走。就这样,四个人没日没夜地走啊走,一直走了九天九夜,终于走出了大山,来到了一个平原上。

果然如那位老人先前所说,就在他们逃离后的第九天夜里,一声巨响之后,紧接着山崩地裂,眨眼间微山就陷下去了,被一片汪洋淹没,大水一直淹没到微山的最高峰。

再说这两户人家,本来一家在山下,一家在山腰,都过着孤单的生活,九天九夜的逃亡让他们紧紧地联系在了一起,两个年轻人也产生了深厚的感情,于是两位老人一商量,就让他们成了亲。从此,小伙子和姑娘过起了男耕女织的生活。他们恩恩爱爱,孝敬长辈,一家人过得和和美美,不久又生了一个可爱的小宝宝,日子过得一天比一天幸福。

望着昔日的家园变成了一片汪洋,他们也不免有所伤感,于是就把这片汪洋叫做微山湖,把水中露出的微山最高峰叫做微山岛。

小小的湖水蕴藏着这样一个动人而美丽的传奇故事,也许,今天静静流淌着的微山湖水还能感受到它的传奇神韵……

53. 呼伦湖的动人传说

说起内蒙古，辽阔的草原，奔驰的骏马，也许会引发你不尽的遐想。然而，你可知道除了这里有呼伦贝尔大草原，在满洲里境内还有与此同名的呼伦湖和贝尔湖。

草原的风景美，大地的湖水美，在这里流传着的故事更美。

在很久很久以前，在美丽的呼伦贝尔大草原上，生活着勤劳勇敢的蒙古族人民，他们世世代代放牧着成群的牛羊，生活过得富足而幸福。

忽然有一天，草原上来了两个不速之客，静静的草原上也不再安宁了。这两个不速之客就是风妖和沙魔，他们肆意地侵袭着草原和草原上的牧民。他们所到之处必定会狂风四起，黄沙漫天，肆无忌惮的风沙刮倒了牧民的房屋，刮走了牲畜。人们举步维艰，生活极其困难。

面对风妖和沙魔的侵袭，草原上的人们束手无策，只能被迫离开了世世代代居住的故乡。背井离乡、四处流浪的牧民，渴望寻找到一片绿色的草原，更渴望能有人出来惩治恶魔，把美丽的家园还给他们。

有一天，观音菩萨到北海去取北极仙冰正好路过这里，当救苦救难的观世音菩萨看到这副景象时不禁流下了眼泪，她要拯救这片草原，要拯救这里勤劳善良的人

110

们。于是她立刻转头赶往南极仙岛去找南极仙翁，要借两只天鹅来惩治恶魔。

当时南极仙翁正在闭门练功，听仙鹤童子说观音菩萨要借两只天鹅救人，不敢怠慢，赶紧派自己最宠爱的一对天鹅呼伦和贝尔随观音菩萨前往。观音菩萨把呼伦和贝尔带到了草原，就赶往北极去了。

为了让牧民们早日回到自己的家乡，呼伦和贝尔顾不得旅途劳累，一到草原就与两个恶魔展开了搏斗。他们展开自己的双翅，守在恶魔藏身的山洞的洞口，风妖出来时，他们扇动着翅膀左右开弓，把风妖打得晕头转向，赶紧躲回到山洞里去了。沙魔不服气，也出来比试，他卷着漫天的黄沙向呼伦和贝尔扑来，呼伦和贝尔张开翅膀手牵着手，形成一道坚固的可移动城墙，沙魔撞向哪里他们就挡到哪里，任沙魔撞得头破血流也没办法冲出去，最后，也躲回了山洞。就这样，呼伦和贝尔巧妙而勇敢地联合作战，与欺负人类的妖魔英勇抗争，经过数十日的殊死搏斗，终于战胜了恶魔。

恶魔被降服了，善良勇敢的呼伦鹅和贝尔鹅也爱上这片草原和草原上纯朴的人们。他们担心恶魔以后还会作怪，不忍这片美丽的草原再受到恶魔的袭击，更不忍牧民们再受到恶魔的伤害，决定留下来，看着草原上的人们永远过着安宁的生活，永远守护这片美丽草原。

善良的呼伦鹅和贝尔鹅紧紧地牵着手，让自己的身躯深深地陷入了大草原中，让洁白的羽毛归于尘土，化作了美丽谧静的两片湖泊。人们为了纪念这对与恶魔抗争、用自己的身躯守护草原的天鹅，就把这两片湖泊称为呼伦湖和贝尔湖。

也许是恶魔害怕了呼伦和贝尔，抑或是呼伦和贝尔的行动感化了恶魔，从此以后，恶魔不再来打扰这里的人们了。静静流淌的湖水不仅挡住了风沙，还灌溉滋润了茫茫草原，湖水孕育了蒙古的民族文化。就这样，很多年过去了，草原的人们始终都过着安详和睦的生活，世代繁衍生息。

54. 淀山湖传奇

水文化教育丛书

在繁华的现代化大都市上海的西侧100多千米的地方,有一片广阔的湖水。这个湖由内湖和外湖组成,加在一起据说有15个西湖的面积大,水面宽阔,亮如明镜。这就是淀山湖,也有人称其为薛淀湖。

这样一片宁静的湖水中,有着一个神奇的传说……

不知是在多久以前,淀山湖处曾经是一座巨山,漫山遍野的苍松翠柏,郁郁葱葱。待到春暖花开之时,还会有鸟儿的歌唱、花卉的芳香,可以说是大自然的一块瑰宝。大山东临大海,南连九座山峰。不少文人雅士都迷恋上了这片清幽的山林,隐居于此。他们或居住在山顶,或隐居在山坡,结庐而居,把酒唱歌,吟诗作对,每天早晨迎来东方旭日,傍晚目送晚霞余晖,生活安然而惬意。

山中如此的美景、人们如此闲适的生活终于引起了池塘里的一只蛤蟆精的嫉妒。他想这些人享受这么美丽的大自然,而自己却只能每天蹲在池塘中,心中非常恼火,他要把这里的一切都据为己有。于是一个巨大的阴谋就在蛤蟆精的心里慢慢地形成了。

一天,随着一声巨响,这座宛如人间仙境般的山林消失了,取而代之的是一个无边无际的大坑。大山沉没的瞬间飞溅出许多石块,把周围的大地撞击得坑坑洼洼、凹凸不平,还震开了七九六十三条裂缝。就这样,所有的美景不复存在了,蛤蟆精也心满意足地占据了一切。

时间过得飞快，一转眼几万年过去了。有一天，东海龙王的小公主来到这里，一见那凹凸不平的大地和那六十三条裂缝，她的胸口一阵剧痛，仿佛这些就是她心上的伤痕。她决心要改变这里的一切。于是她飞回东海，取来龙宫里的仙水，洒在那六十三条裂缝中。霎那间，六十三条裂缝变成了大大小小六十三条河流。大大小小的河流汇聚到中间的大坑中，便形成一片宁静的湖泊，由于这里本是大山沉淀的地方，所以龙女就给这个湖取名为淀山湖。

当年飞溅出来的石块也形成了独特的景观。湖东边翘起不足百尺高的大石块，是当年那座大山的残留部分，成了今天的淀山。在东北边的水面露出一块山地，慢慢聚集了不少人家，去过山顶观看日出的几位老人，恋惜朝霞映照山村茅屋的景色，所以就把此处取名为金庄。后来有个姓金的大户，认为这是一块风水宝地，就买下它盖了座大宅院，将这座村庄取名为金家庄，一直延续至今。西山坡的竹林没有了，可是在淀山湖西北岸，成了人烟稠密的村庄，由此人们也给村庄取了一个美丽的名字——落霞坡。山高有宝出俊杰，东北面一条河边的小村落，这里出生的孩子都格外聪慧、机智过人，就这样，这个河边的村庄，被叫做神童泾。

北山坡有座小县城，当年也因大山崩裂而遭难，整座城陷到了地底下，形成了度城潭。有趣的是在20世纪大跃进的年代里，人们曾抽干度城潭水，挖泥积肥。可令人大为吃惊的是，在污泥覆盖下竟出现了条石街道、房基井圈，以及其他人类生活的遗迹，于是使得传说更加具有神秘的色彩。

岁月如梭，无论这民间传说是真是假，都为这广阔的湖水蒙上一面神秘的面纱，等待着人们去轻轻地掀起……

55. 贺家池的传说

位于浙江省肖金镇与绍兴县皇甫乡交界处,有一个面积大约200公顷的贺家池。之所以叫它"池"而不是"湖",有传言说是有位乡人故意闹迷糊,混淆了"湖"与"池"哪个大哪个小的概念,而刻意追求殷实富裕生活的他,也憧憬着贺家池能成为自家后花园中的"荷花池"。

在贺家池畔居住的人们,朝看日出,晚送落霞,如同生活在仙境般。生于水乡、长于水乡的人们之间,对于贺家池的由来也有着自己的传说……

相传在很久以前,这里是一望无际的稻田。春天,犹如一片巨大的绿毯,美妙绝伦;秋天,微风过处,卷起阵阵金黄的稻浪,美不胜收。这其中有一片稻田是一个姓贺的人家的。一年秋天,贺家夫妻俩像往常一样在地里割稻子,稻子割完后就把这些稻子垛成垛。几天过后,稻子割完了,垛也垛好了,他们又背着稻桶在自家田里打稻,每天早出晚归,从天刚蒙蒙亮一直忙活到夜幕降临,月儿升上柳梢,星星开遍夜空。

就这样忙了几天,夫妻二人整天都忙得汗流浃背、口干舌燥,却始终看不到那堆并不大的稻垛有所减少。夫妻二人很是纳闷。这天中午时分,两个人干活干累了就坐下来休息吃东西,吃完了饭丈夫躺在稻垛旁边打起瞌睡来。妻子没有困意,闲来无事便开始使劲地翻起稻垛来了,翻着翻着她突然在垛子里发现了一只像鹿角一样的东西,她"呀!"地大叫一声,吓得瘫倒在地。

在一旁休息的丈夫听到妻子的惨叫声不知发生了什么事,连忙凑过来

114

看个究竟。见多识广的丈夫一看不禁眼睛一亮，双眼笑得眯成了一条缝，忙对老婆说道："哎呀！看你那紧张的样子，你看啊这可是龙角啊，这下子我们可要发大财啦！你快把镰刀拿来，我们把它割下来就能卖个好价钱！"在一旁吓傻了的妻子一听也乐了，赶忙和丈夫忙着割起龙角来。他们想象着用这个龙角即将换回大把的银子，忙得真是不亦乐乎。

再说，这稻垛里怎么会有龙角呢？原来是东海龙王的大儿子青龙奉了父亲的命令到人间来考察，当他来到这片稻田的上空时，突然觉得浑身乏力，朝下一看发现这里有一片稻垛，正是个藏身的好地方，于是就躲在稻垛里打起盹来。就在青龙睡得正酣的时候，突然觉得头顶一阵剧痛。

夫妻俩正在为发财梦忙得开心，一刀接着一刀地割下去。可是，巨龙在他们一刀一刀的宰割中，真是疼痛难熬，最后再也忍不住了，一个大翻身，冲出了稻垛。巨龙翻身时卷起了高达数丈的巨大的水浪，顷刻间就把那一大片农田变成了浩淼的湖水。与此同时，夫妻二人也被无边无际的湖水淹没了。

虽然，这只是一个传说，可是在当地却成为世世代代传述的警言，告诫着人们——人，不能够过于贪婪，否则当偶遇发财时机时，会迷失自我，得不偿失！

水文化教育丛书

56. 大明湖的感人故事

济南有闻名遐迩的大明湖。"明湖泛舟、历下秋风、汇波晚照"是大明湖的三绝,这美丽的湖水就在市区中心、旧城北部静静地泛波,也将自己的感人故事传播四方……

相传很多年前,济南的北城有一座山,山上有座寺庙,叫做大明寺。寺内殿宇雄峙,亭阁林立,每天经声佛号,响遏行云,看上去极为庄重、排场。寺庙本是佛门清净、圣洁朝拜之地,然而寺内的和尚却不守教规,勾结官府,欺压百姓。最可恶的是寺庙里的住持是个贪淫好色的大坏蛋。他经常利用信徒烧香还愿、祈求得子等机会,坑害奸污来寺拜佛的良家妇女。老和尚还在寺庙里设置了很多陷阱机关,所以寺里常发生烧香妇女离奇失踪的事情。由于那老和尚武艺高强又同官府勾结,所以人们都不敢招惹他。

在济南的东南山区住着一户姓李的人家,一位老婆婆带着她的儿子和媳妇一起生活。婆婆慈祥,儿子勤快,媳妇更是美丽、贤惠、孝顺,一家人过得平淡而快乐。但是唯一美中不足的是,儿子和媳妇结婚数年,都不见媳妇怀上身孕。老婆婆很着急,媳妇也总是觉得十分愧疚。

有一天,儿子到田里干活去了,媳妇在家织布,老婆婆坐在门口晒太阳,邻居家的小娃娃不知什么时候跑了出来,老婆婆一看喜欢得不得了,抱在怀

里不肯撒手。媳妇看到婆婆这般模样，心里觉得非常难受。她听说到大明寺里许愿很管用，于是在心里暗暗地决定到那里去烧柱香。

晚上，媳妇把想去大明寺许愿的想法告诉了丈夫，丈夫理解媳妇的苦衷，况且也想早点有个孩子，于是就高兴地答应了。第二天，两口子一路叩拜来到大明寺。正当二人闭眼虔诚求神许愿之时，寺庙里的老和尚乘机将漂亮的媳妇关入地下密室。待丈夫祈祷完睁开眼却不见了媳妇，真是急得发疯。老和尚欺骗他说媳妇已经走了，便一把将丈夫推出寺外。

丈夫回到家中，老婆婆听说媳妇失踪的消息，一下子气得竟昏死过去。伤心欲绝的丈夫不甘心地到大明寺里来找媳妇，和尚却将他拦在门外。丈夫无奈只好到官府去告状，谁知衙役一听说是状告大明寺的，不管三七二十一地也将他拒之门外。无路可走的丈夫在寺庙前哭天喊地，竟昏了过去。

再说这寺庙里的老和尚，逮住了一个年轻漂亮的小媳妇，正准备好好地享受一番，怎奈刚烈的媳妇誓死不从，不停地叫喊哭闹抗拒和尚的欺辱。和尚无奈只好用缓兵之计，先把这个小媳妇饿上几天再说。

没想到小媳妇的哭声惊动了天上的玉皇大帝，玉皇大帝不知下界出了什么冤情，马上命千里眼向人间察看。千里眼回奏说："济南府东南山有女子与丈夫到大明寺烧香许愿，却不料被和尚陷进密室，婆婆闻之咽气而死，丈夫气急昏倒在庙外，女子正被逼受欺辱，故而冤气冲天。"玉皇大帝听后大怒，赶忙派真武水神下凡人间，命将大明寺沦为汪洋，和尚葬身鱼腹。

就在老和尚准备再次逼迫欺凌小媳妇时，忽见室内一道电光闪烁，一声炸雷震耳欲聋，把那可恶的老和尚劈死在地。刹那间，天昏地暗，暴雨狂风，大明寺便沉入水底，一座山就这样变成了一个湖。后来人们就把这个湖叫做大明湖了。

当被雷震昏的媳妇苏醒过来的时候，发现正和自己的丈夫躺在湖边。她忙叫醒丈夫，两人哭诉着离情。后来没多久媳妇就怀孕了，十个月后，生下一个无比美丽的女孩，一眼看去就像一朵美丽的白莲花。夫妻俩感谢上天的恩赐，给女儿取了个美丽的名字——白莲。小白莲最喜欢莲花，所以夫妻俩就在大明湖里种满了莲花。

57. "三海"的由来

"三海"并非真正如现代人所理解的"海",而是指云南省玉溪市江川县的星云湖,通海县的杞麓湖,澄江、江川、华宁三县交界处的抚仙湖,依照当地称"湖"为"海"的习俗,就分别叫它们浪广海、通海、澄江海,这便是人们口称的"三海"了。

据说,后羿射日之后,火辣辣的太阳是被镇住了,然而大地一片干旱,人们仍旧生活在苦难之中。太白金星见状,立即将人间灾难秉奏给玉皇大帝。玉皇大帝听后,当即命令雷神、雨神下凡人间行雨。二神奉旨后,一连下了七七四十九天的大雨,下得人间山崩地陷,汪洋成海,一片泽国。天底下的人们在饱受了干旱之苦后,又再次遭遇到了洪水的侵袭,纷纷逃到山顶上躲了起来。玉皇大帝急忙勒令雷神、雨神停止降雨。太白金星为玉皇大帝献计说:"陛下,当下之急,只能命令各路神仙下凡人间挖海开渠,让洪水聚集,这样才能解救可怜的人们啊,人间万物才能发展啊!"玉皇大帝于是命令各路神仙下界,挖海开渠,造福人类。

一天夜里,有个名叫挖海老人的大仙,带着儿子伙同赤脚大仙,乘着月色一同驾云来到磨豆山上。老人对赤脚大仙说:"大仙!我们分开挖,你到南边那个坝子,我到北边那个坝子,小儿到西边那个坝子,我们三人各挖一个海子,这样天亮前就能完成玉帝交给的任务了。"赤脚大仙点头赞同。赤

脚大仙飞步走到南面的通海坝子，没过多久便挖好了一个海子。他眼瞅着时间还早，便一头靠在崖石上打起盹儿来。挖海老人的儿子虽然年幼力单，可他不甘落后，认认真真地在江川坝子挖出了一个海子。他看到父亲仍然在吃力地挖着，就说："爹，我的已经挖好了。""哦?"挖海老人抬头看了看，摇头说道："孩子，挖得太浅了！"儿子顿了顿说："爹！那我去把它再挖深一点！"儿子正要走却被父亲叫住了，"算了，时候不早了，挖浅了你就在这山谷中开条小沟，这样就能把你那里的水淌一点来我这里了。"

当远处传来鸡叫声时，挖海老人正挖起最后一锄泥石，却因受到了惊吓，急忙将锄头一甩，泥石正好落到了海子里成了一座岛。眼看天就要亮了，顾不上这么多的老人提着空锄头就向儿子挖的地方奔去，得知儿子的沟已经挖好之后，便和大汗淋漓的儿子一同去找赤脚大仙。

父子俩跑到磨豆山上，摇醒正在打呼噜的赤脚大仙。挖海老人问他："海挖好了吗?""早已挖好了！"赤脚大仙揉着惺忪的睡眼边回答边指向通海的坝子。挖海老人连忙顺着指的方向抬头看去，却看见洪水在南边白茫茫的大海子里翻滚，不断上涨，急得老人忙喊："哎哟，糟啦糟啦！海水没有去处，坝子就要被淹没了！"赤脚大仙一听也慌了，忙说："待我挖条排水沟去！"就在这时四处传来鸡鸣声。老人急忙拦住大仙说："来不及了，天亮了，我们还是赶紧回天上吧！"赤脚大仙却坚持说："不行！你俩稍等片刻，我去去就来。"只见大仙抢起锄头，几大步跨进海子中央，倒过锄把高声叫喊："长长长！"对着海的中心一捅，将海心捅了一个落水洞，看着海水朝落水洞滚滚涌去后，大仙才放心地跑到磨豆山，同挖海老人父子汇合。他们三人就在天亮前的一刹那间驾起云头，朝天上飞升。

就是这样，神仙下凡造福人类之时也造就了今天的"三海"——磨豆山北边的澄江坝子就有了澄江海;西边的江川坝子就有了浪广海;南边的通海坝子就有了通海。

58. 新路海的美丽故事

位于四川省德格县境内的雀儿山下有个湖叫做新路海。湖的南面是突兀高耸的冰川雪峰，北面是牧草丰茂的错巴村牧场，东、西坡却是密布的针叶林。同风景一样美丽的，还有流传于世间的昂旺和拉姆的动人故事。

据说，在很多年前，新路海叫"金鹿海"。在这个湖中居住着龙王海祖纳仁青和大太子昂旺。在湖的不远处，住着一户朴实的牧民，家中除两位年过半百的老人外，还有一位十八岁美若天仙的姑娘，名叫拉姆。姑娘勤劳善良、纯朴孝顺，每天早晨，她都会到湖边背水。传言中，这湖水带着灵气，人吃了能除病免灾，牛羊吃了能壮身长膘。一天清晨，当拉姆到湖边背水时，正碰上大太子昂旺变成的一尾小金鱼巡湖。昂旺看到拉姆，被她比天仙还美丽的容貌深深地迷住了。他铁定了心要走出龙宫，向凡人拉姆姑娘求爱。昂旺立即变作一只金鹿，从湖中跳了出来。拉姆看见后惊喜地跳了起来，善良的她赶忙扯来嫩草喂金鹿，她真舍不得如此可爱、温顺的金鹿再回湖里去。她怯生生地问："小金鹿，你愿意和我相伴吗？你愿意到我家帐篷里去玩吗？"小鹿点了点头，高兴地摇晃着尾巴。拉姆将它带回了自己家的帐篷。就这样，每当姑娘一个人时，小金鹿就来与拉姆作伴；当她家没有钱时，小鹿便屙出金子，让拉姆去买回茶盐。

过了很长一段时间，这事儿传到大土司向巴耳里。于是，他和管家带领人马围住拉姆姑娘家的帐篷，用铁链套走了小金鹿。土司抢到金鹿后，端来了上等的佳肴，并让自己孩子把一只玉盘搁在金鹿的屁股下面，准备盛金鹿屙的金子。可是小金鹿闭口不吃，更不产金子。眼看金鹿一天天瘦下去，管家忙对老爷说："老爷，金鹿大概思念着湖中的情侣吧！"土司便听从管家的建议将金鹿牵到湖边，等待情侣鹿的出现，并准备擒获它。

当土司正等得不耐烦时，管家突然跳起来惊呼道："快看，那不是湖中的那只金鹿吗？"土司抬头一看，果然有另一只金鹿在随着涟漪晃荡。两个人匆忙地把小金鹿拎到岸边，可是金鹿到了岸边就跳进了湖水里，再也不出来了。原来那湖中根本就没有另一只金鹿，那只是小金鹿的湖中倒影。小金鹿回到湖中立马就变成了大太子昂旺来到龙宫，并且将事情一五一十地禀告了父王。听了儿子的遭遇，龙王大怒，发起了大水，湖水沸腾翻滚，不断上涨，不一会儿便把那贪婪无耻的土司和管家淹没在大水之中。云开雾散之后，湖水又恢复了往日的平静。拉姆如同以前一样，来到湖边背水。她心想小金鹿或许已经成功地逃回湖里了，于是放下水桶在湖边喊了起来，温柔地呼唤着："小金鹿，快回来吧！"喊声在湖面上山谷中回荡，久久不散。果然，在一阵金光闪烁之后，小金鹿从湖中一跃而出。

"呀，我的小金鹿，我真想你！"美丽的拉姆抱住小金鹿的脖子使劲地抚摸着、亲吻着。小金鹿看着这位年轻貌美而又心地善良的姑娘，决心向她求婚。于是，他摇身一变，变成了一位英俊的小伙子，与美丽的拉姆结婚了。

59. 象湖的故事

在我国的福建省九龙江源流之一的感化溪畔，有一个村子，叫作象湖。象湖村位于漳平市的一个人烟稠密、兴旺发达的镇上。虽然是个村落，可在唐朝以前，这里还是一个碧波荡漾的天然湖呢！小村之所以会以"湖"命名，大概也与此有关。关于象湖，在民间还流传着一段传奇的故事。

却说唐朝贞观年间，又一个春天降临大地。一群大象玩腻了广东大埔山水，一度流连于武平象洞风光，它们嬉戏于龙岩白沙，又翻山越岭，啃嫩笋，吃山蕉，缓缓地来到漳平象湖地面。这里美丽多姿的湖光山色一下子把它们迷住了。太阳渐渐地升高，照得湖面一片银亮。山坪的竹林里长满嫩嫩的春笋。真是一个能吃饱喝足的好去处呀！它们高兴得摇头晃脑，尽情地啃着又脆又甜的春笋。不到一个上午，一头头大象的肚子就饱鼓鼓的了。可是，真口渴呵！眼前这碧澄澄的湖水谁不想跳进去洗个痛快澡，喝足清甜水呢？只见那头带头的大象，移动庞大笨重的身躯，伸出长长的鼻子，嗥嗥地吼着向湖里走去，其他象也尾随而来。然而，湖底淤泥滑溜溜的，这头大象直往湖水底里栽。它拼力挣扎着，湖面上卷起一串串浪花，身子却浮不起来。不一会儿，除了湖面上一股股气泡外，这头大象深深地陷进了湖底。其他大象惊呆了！它们吼叫着，声音像发怒的雷声。于是，带头象的伙伴们停立湖边，眼睛里含着泪水，伸出长长的鼻子，发狠要把湖水吸

干,救出带头象大哥!吸呀,吸呀,一股股湖水流进感化溪,感化溪涨了,急急忙忙地奔向九龙江,大象们吸饿了吃笋,吃饱了又吸。过了九九八十一天,湖水被吸干了,露出一片烂泥。可是,却始终未见带头象大哥的身影。站在湖边的大象们呆呆地望着满是烂泥的湖面,哀鸣着,呼叫着,可是,除了山谷的回音,什么也没有。它们只得拖着疲惫不堪的笨重身躯,怂怂地离开这里,缓缓地向安溪移去。

转眼间,已到元末明初。这湖面早已被太阳晒成又干又松的肥沃土地。且说,安溪有一对姓苏的兄弟和一位姓詹的中年人,每逢农闲就结伴打猎。有一天他们追赶一只中箭的山羊来到湖边。山羊到了这里就不见了,展现在眼前的是一片黑油油的土地。他们好像发现了一块聚宝盆,非常兴奋。三人决定全家移居这里,把这湖地开垦成一块块良田。没几天,他们两家大小已搬到湖边的山坪上,结舍而居,传宗接代。

有一夜,姓詹的中年人带着白天丰收的喜悦进入甜梦,迷迷朦朦地见到一头大象摇摆着笨重硕大的身躯缓缓走来,突然对老詹张口说话:"若干年前,我被这里的守湖女神请来守湖。女神说我原是西双版纳的一位山神,因与她有缘,玉帝把我变成大象。我千里迢迢,寻踪而来,了了夙愿。至今,我别无所求,只希望你们耕耘的这块湖面,以我为名,让后世的人知道我足迹到此。"老詹正待答话,大象早已无影无踪,揉揉眼睛,原来是一场梦。他便把梦中情景说与其他人知道,大家都说稀奇!从此之后,这里就叫象湖了。

60. 伍须海的故事

五须海位于贡嘎山西面九龙县城以北，就像是镶嵌在蜀山之王——贡嘎山上的一颗璀灿明珠，是贡嘎山国家级风景名胜区的重要组成部分。

"伍须"藏语意为"向阳、好耍"。当地人称伍须海为"仙女梳妆的明镜"。原始森林和宽阔的草甸环绕湖泊，湖水碧绿透明，环境幽静。

关于伍须海还有这样一个动人的爱情故事。

相传很久以前，伍须海里住着一位美丽的仙女，她来自天宫，长得明眸善睐，瑰姿艳逸，仪态万方，人见人爱。海对面有座东热吉布雪山，住着一个叫东热吉布的英俊勇敢的青年，于是他们相爱了，成了一对人人羡慕的恋人。

他们与居住在海边的百姓关系十分融洽。人们每年都要焚香祭海，祭拜东热吉布雪山，他俩亦有求必应，悉心保护着当地的生灵。他们就这样过着幸福快乐的日子。

有一年，东热吉布应贡嘎山邀请，出远门前去做客。就在这时，两条窥视已久的恶龙趁机强占了伍须海，仙女势单力薄斗不过恶龙，只得忍痛弃海，离开这片她爱的土地和她爱的人返回天宫。

东热吉布归来后，见昔日清澈透明的海水变得浑浊不堪，知道心上人已被恶龙赶走了。他气愤已极，从腰间掏出一对白海螺丢进海里。这对白螺

便和两条恶龙展开了激烈的搏斗。白螺小巧玲珑，非常灵活，越战越勇，最终把两条恶龙赶到了海底的死角，使它俩既不能出，又不能进。直至今日，每到夜晚，两条恶龙还会发出悲鸣哀号。当风和日丽之时，人们在岸边观望，亦能看见那两只仿佛是在游弋的白色海螺。

仙女回天宫后，东热吉布悲伤至极，最终化作雪山。人们说，那终年不化的皑皑雪峰，是他愁白了头；山麓那两股温泉，便是东热吉布日夜思念仙女流出的眼泪。

也许是伍须海犹如仙境才衍生出这样动人的故事，或许是这样凄美的爱情故事衬托了海水的秀美。谁是谁的源，这已不重要，重要的是它们都是美的化身。

61. 邛海的由来

邛海是四川省第二大淡水湖,卧于泸山东北麓,是四川省十大风景名胜区之一。关于邛海的形成有这样一个传说,给美丽的邛海添上了扑朔迷离的一层面纱,让它显得更加神秘了。

远古的时候,有一座名叫梓潼的县城。梓潼城外,住着家境贫寒的一对母子,他们相依为命。母亲身体虚弱,儿子名叫童林山,是一个远近闻名的孝子。每天一大早,儿子就怀揣着母亲为他特别做的一个饭团,去山上砍柴,以卖柴之钱来维持一家人的生活。童林山常在路旁的一口水塘边的大石头上磨刀。一天,他不小心把手指割破了,鲜红的血滴到水塘里。他用土办法包扎好伤口后,继续上路砍柴去了。中午童林山背着一大捆柴,又回到他常磨刀的大石旁歇息,正要吃饭团,忽见一条暗红色的蚰蟮向他游来,并开口对他说:"我是你的鲜血变化成的。"从此每次在他吃饭团的时候,就分一些丢进水塘,给蚰蟮吃。蚰蟮的食量与日俱增,童林山也尽量满足。

有一天,他把一个饭团都给了蚰蟮,看着蚰蟮吃完,他抱歉地说:"不是我舍不得给你吃,而是我家里穷,要供养老母,实在没有办法,请你原谅啊。"当天晚上,童林山梦见那条暗红色的蚰蟮对他亲切地说:"是你的鲜血孕育了我,是你的饭团喂养了我,你是我的大恩人啊!我一定要报答你的养育之

恩。恩人啊，明天，你把堂屋打扫干净，把耗子洞也堵了，到时我会给你一个惊喜。"按照蛐蟮托的梦，童林山母子两人起床后将堂屋打扫干净，把耗子洞也堵了。第二天起床后一看，母子俩又惊又喜，满堂屋都是金黄色的谷子。他们喜的是，这下有吃的了；而让他们惊的是，这么多谷子蛐蟮是从哪里弄来的，万一……

果然，村里财主家的谷子一夜之间消失了，财主得知童家突然出现满堂屋的谷子后，便将童林山母子告到了县衙。这母子俩被押到县衙大堂上，把蛐蟮托梦的经过说了一遍，县令听罢，大声嚷着："畜妖偷盗，这还了得！"随即，将这母子俩打入死牢。

晚上，童林山刚睡着就梦见一条青龙向他游来，在他身边停下说："恩人别怕，我是那条蛐蟮变的青龙。本来为了报答你的养育之恩，没想反而连累了你们母子。不过，明天县衙大堂会审时，大堂内就会长出三棵手臂粗、一人多高的竹笋，你们母子俩一定要抱紧两边的竹笋，然后使劲蹬断中间的那棵笋子，之后就会冲出一股大水，洪水滔天，将会把梓潼城淹没，把贪官和财主们淹死。到时你们母子俩骑在我的背上，就能脱险了。"听了青龙的话，童山林说："这梓潼县城还有许多普通百姓，他们怎么办？"青龙说："这我已经安排好了。离开你后，我就去城中百姓家一一托梦，让他们悄悄离开县城。"

第二天，开堂会审，县令蓄谋已定，正准备对童林山母子动用大刑时，会审大堂果真长出三棵大竹笋，童林山母子迅速分别抱紧两边的竹笋，童林山用力蹬断中间的那一棵竹笋。霎时，一股大水冲天而起，很快便将县令与财主冲走了。青龙游到会审大堂，救走童林山母子。梓潼县被一片汪洋淹没，成了水下之城。

那淹没梓潼县城的一片汪洋，就是今天的邛海。

62. 康斯但斯湖的神奇传说

　　在瑞士、奥地利和德国三国交界之处有一个充满神秘色彩的湖泊叫做康斯但斯湖，它又称作博登湖，是德国最大的湖泊。当地风景迷人，气候温暖湿润，成为人们旅游的向往之处。

　　康斯但斯湖一直都是个充满童话色彩的地方，和不远处的莱茵河瀑布、黑森林交叠着种种神秘传说的影子，更显得不着一点人间烟火。

　　在这片美丽的湖水静静流淌的时候，人们常常会受到这知名湖水声音的诱惑。在人们一传十、十传百的故事里，康斯但斯湖上经常荡漾起悠扬柔美的歌声，若隐若现、忽近忽远，那悠远的声音有时候甚至会飘游上岸，天籁般的声音弥漫在周围的丛林里、小路上、庄园中，在一切有绿色的地方驻足停步。每当人们想要闻声寻音的时候，悠扬的歌声就会像一只胆怯怕人的小鹿般拼命地逃离，渐行渐远，直到消失得无影无踪，或是化作轻风飘散在丛林暗影中，或化作湖水中的涟漪……没有人能捕捉到歌声中到底唱着什么，或许是另一种人语，亦或就根本不是人间之声。

　　总之，关于这片静谧的湖水总是荡漾着无数离奇神秘的传说，或故事或童话，但却总逃不脱"湖与魔戒"。

据说在很久很久以前，查理曼大帝爱上了德国一位俏丽俊美的姑娘，甚至对她痴迷到了无顾其他的境界。宫中大臣眼睁睁地看着自己的君主沉溺于欢情，而对国家之事毫不过问，无心管理，全然不思朝政，个个忧心忡忡、心急如焚。后来，那女子无端地死去了，宫中上下才松了口气，心想这下君主就了无牵挂，可以一心管理国家大事了。可是，令人始料未及的是查理曼大帝对女子的爱情火焰并没有因她的离去而熄灭。他勒令下属将涂了香膏的姑娘遗体搬进了寝室，他寸步不离地日夜守护着那遗体。图尔平大主教见状，对这骇人的激情倍感恐惧，怀疑自己的君主已经着了魔，想要细细地检查一下姑娘的尸体。他在那姑娘遗体的舌头下边发现了一枚镶着宝石的戒指。可就在这戒指到了图尔平手上时，查理曼大帝便立即疯狂地爱上了大主教，急忙命令下人安葬那女子。图尔平为了摆脱这种令人难堪的局面，便将宝石戒指扔进了康斯但斯湖。于是，查理曼又爱上了那湖水，不想离开湖畔一步。

事实上，关于康斯但斯湖与魔戒的传说由来已久，并衍生出来种种不同的版本。各种版本中虽然查理曼大帝会变成某位骑士，德国姑娘会变成林中仙女或郡国皇后，但康斯但斯湖始终都是故事的主角，始终出现在故事的结尾。

康斯但斯湖与魔戒的故事，并没有随着查理曼大帝的去世而终结，相反，却更加张扬起来。这个神奇的传说也没有随着时间的流逝，而使得神秘的色彩有半点儿消退。正是它的无数传说和神秘，成为了令人向往的地方。

---

63. 伊塞克湖的神秘故事

水
文
化
教
育
丛
书

　　在亚洲中部，有这样一个湖——当你在夏季的清晨漫步湖边时，清澈湛蓝的湖面一平如镜，水光照天；当你在湖上泛舟时，北岸的层层雪峰，在云雾中若隐若现，尽显其静谧和神奇；当风吹来的时候，湖上顿时白浪滔滔，层层浪花扑向岸边，但到了岸边沙滩，又缓缓退回湖中，湖水、沙滩以其独特的方式接触、交融。梦幻、神秘——这就是伊塞克湖。美丽中带着梦幻色彩的伊塞克湖坐落在吉尔吉斯斯坦东北部的天山山脉北麓的伊塞克湖盆地，距离其首都比什凯克大概有 200 多千米，是吉尔吉斯斯坦国家最大的湖泊，也是世界上最大的高山内陆湖之一。

　　饱览过伊塞克湖风光的人常常用神秘来形容这片大湖，这一点从关于它的点点传说中也能体现得淋漓尽致……

　　在当地民间流传着伊塞克湖的凄美故事。相传很久很久以前，在高大的山顶上有一座古老的城堡，可是里面的主人却是一个贪心懒散、残忍暴虐的大汗。在山脚下居住着一位朴实的牧羊人和他美若

天仙的女儿。许多年轻的男子倾慕姑娘的人品长相，都纷纷前去向她求婚，但都一一被美貌的姑娘婉拒了。她总说："我已经有心仪的人了。"那是因为曾经有一个英俊潇洒的骑士，带着她骑着白马一路奔驰来到很高很高的地方，

郑重地从自己的手上摘下戒指并亲手为女子戴上,真诚地说:"你要等我,我会很快回来的,只要戒指在,它会一直保佑你远离任何灾难的!"就这样,姑娘信守着这样的承诺,一直期盼着骑士的归来。

凶暴的大汗对姑娘垂涎已久,也带着贵重礼品前来求婚,同样遭到了姑娘的拒绝。姑娘毅然决定独自一人上山去找自己的心上人,可却在路上不小心遗失了戒指。她伤心极了,一路哭泣着跑回家,但却在半路上被大汗劫持到了城堡中。坚贞勇敢的姑娘宁死不屈,向窗外纵身一跃便坠落了悬崖。刹那间,地动山摇,天昏地暗,城堡开始下陷,滚滚洪水从四面八方冲向城堡,将山谷和城堡一起淹没在汪洋之中……后来,便有了今天的伊塞克湖。

就这样,勇敢的女子为了坚贞的爱情和静谧的湖泊紧紧地融合在了一起,美丽的传说变成了传说中的美丽……

肆

「海」

64. 七里海的传说

七里海是我国唯一的古海岸与湿地同处一地的国家级自然保护区,是津京唐三角地带极其难得的一片绿洲。七里海的名字同它那旖旎的景色一样充满诗意,说到名字的由来不得不提起这样的一段传说。

相传在很久以前,碣石山下的渤海沿岸有一座富庶的小镇。小镇民风纯朴,百姓安居乐业。在小镇上,有一位寒玉姑娘,是个貌若天仙的美女。这一年皇帝选妃,地方官吏为讨好皇帝,便偷偷将寒玉的画像献给了皇上。寒玉的美令皇上赞叹不已,令寒玉3个月后入宫册封。消息传来,小镇为之沸腾,寒府上下一派喜气洋洋的景象。而在这时,只有寒玉一人愁眉不展,笑颜难开。

为排遣心中的郁闷,寒玉带着丫环,来到水岩寺烧香求佛。没想到,这香一烧,她就天天在梦中见到一位儒生。在梦里,两个人情投意合,爱意浓浓。一天又是在梦境之中,那儒生告诉寒玉,自己是渤海龙王的儿子龙十九,为寻找真情来到凡间,不想那天在水岩寺一下就碰见了寒玉姑娘,很想与寒玉互诉衷肠。他约她八月十五在庙中相见,希望她能准时赴约。寒玉一觉醒来,前后思量,决定按时赴约,以验梦境是否属实。

龙十九与寒玉终于在水岩寺旁的清清山泉边相见,两人都沉浸在深深

134

的幸福与甜蜜之中。他们指山为盟，面水发誓。眼见天色已晚，两人依依惜别，并相约下次月圆之日再见。

寒玉归家数日，便被提前召入宫中，准备第二日册封为德妃。寒玉为报龙十九之深情，在雨夜里上吊身亡。

龙十九按捺不住自己的相思之苦，幻化为人，前来探望寒玉。到了人间，他才知道了这骇人的噩耗。龙十九悲恨交加，立誓要为寒玉报仇。渤海老龙王闻讯，赶忙相劝，说那皇帝也同属龙族，若相斗，不仅不能报仇，反而会招来杀身之祸。龙十九哪里听得进，深夜入宫行刺皇帝。可他寡不敌众，不幸受伤，幸得渤海老龟相救，方免于一死。禁宫侍卫率众追拿龙十九，追赶到渤海岸边的一个小镇便没了踪影。

他们哪里晓得，龙十九早已潜回渤海深处疗伤去了。皇帝接到奏报，怒不可遏，命镇上百姓三日内交出龙十九，否则火烧全镇。三天后，皇帝命人放火，火光冲天，映得万顷海水都通红一片。龙十九不顾自己伤痛，施法引水，滔滔海水立时淹灭了通天巨烛般的烈火，同时也淹没了整座城镇。渤海老龙王大惊，以为全镇百姓尽数淹死，即令龙十九自尽以谢天下。此时，太白金星下凡宣旨：玉帝感念龙十九的真情和对百姓的仁慈之心，着龙十九褪去金鳞，化为小龙，幽居于碣石山下圆影寺塔底，直至寒玉八十一次转世之后，方可获释与之结为夫妻。小镇居民因已遭一劫，不能再转回人世，命世代居于海底，同归渤海管辖。

侥幸逃过那场特大灾难的人将居住地后撤七里，并将那片被淹没的地方称为"妻离海"，以悼念龙十九和寒玉。不知过了多少年，"妻离海"被叫成了"七里海"，那个后建的村子也被叫成了"七里庄"。

65. 渤海的传奇故事

渤海是中国的内海，三面环陆，在辽宁、河北、山东、天津三省一市之间，通过渤海海峡与黄河相通。渤海不大，但故事不少。在慕田峪长城西南部有个渤海所村，这里与渤海曾经有这样一个故事。

传说二郎神来帮助秦始皇修边。这一天，二郎神从很远很远的西南方，用赶山鞭把巨石赶来。当走到渤海所村时，二郎神饥渴难挨，实在走不动了，于是，便坐在村边一棵栗子树下休息。正当二郎神口干似火，坐立不安之时，忽然见身边走来抬水的一老一少。老妇白发如雪，小孙女黑发如墨。娘儿俩把水抬到树下时，已是汗流浃背了。二郎神连忙上前乞水，那老妇慷慨礼让。待二郎神喝足，桶里只剩下一口水了。老妇叹道："这是取自渤海的水，来之不易啊！"二郎神听后大惊，忙问："老人家为何去如此远的地方抬水？"老妇说："只因此地无水，粮果歉收。我们娘俩每隔三天从渤海抬水一次，施舍村民。"

二郎神听罢老妇言语，感动地说："您老为解我口渴，枉行三天三夜呀，我实在于心不忍，就在此地为百姓造一眼井吧，也免去您老人家远涉抬水之苦。"老妇听后连忙阻拦，开口说道："壮士且慢，这里地下本无水，若是有水，我们娘儿俩何至于苦行万里汲水呢。"二郎神道："这不要紧，你们不是从渤海抬的水吗？我今天就把渤海之水从地下引来至此。"老妇

又回道:"不可。之前诸路神君曾经引过海水,但是水引来后,神走水即走,存不住呀!"二郎神思忖了一会儿,说:"那依您之见,应该如何是好?"这时,只听站在一边的小孙女爽爽快快地说:"除非您把水锁在这里。"二郎神顿时高兴地说:"对,我把渤海之水锁于此处。"原来,二郎神等的就是人说出这个"锁"字。老妇听罢,也拍手称是,心想以后再也不用因缺水发愁了。于是她将桶内仅有的一点儿水,浇于栗树下,说道:"给你喝个够吧,多多长栗子。"据说,栗树不怕雨水多。民谚"旱枣涝栗子"之说,就是从此而来的。

后来,二郎神引来渤海之水,并将此村名改为"渤海锁",意为锁住渤海的水。他告诉百姓,一定要叫此村名,否则,这里还将无水。时至今日,此村仍叫渤海所,只是将原来的"锁"字改成了如今的"所"字了。

"滔滔渤海,无边无岸,笔架天桥,天下一绝。"渤海虽小,魄力却大,故事传奇。一片海造出了一个村,养育了一方人。

66. 亚龙湾的传说

人们说起海南，自然会想起三亚，层层海浪涌上银色海滩，又匆匆退却，周而复始，激起朵朵浪花。欣赏三亚风光的同时，你是否知道关于深深南海水的传奇故事？

传说很久以前，在如今三亚境内的亚龙湾一带，海边没有沙滩，紧邻海面的是高山峻岭和悬崖峭壁。高山上住着几十户黎族人家，这里的姑娘容貌如花似玉，其中有一位叫吉利的姑娘，向她示爱的小伙子不下几十个，可她偏偏只爱穷苦渔民阿祥。

就连仙女下凡看见吉利和她的女伴都惊叹她们的美貌。仙女们回宫后，把在人间看见美女的事告诉她们的哥哥，并鼓动她们的哥哥下凡娶吉利和她的女伴为妻。

七位英俊潇洒的仙子听说后，手牵手驾着云朵来到海边，见到吉利和女伴们背着腰篓朝海边走来，果然名不虚传。他们忘了文雅和礼节，朝姑娘各吹了一口仙气，姑娘们脚底像踩了风似的随他们向深山峻岭跑去。阿祥和伙伴们出海捕鱼回来，见吉利她们跟着七个男子往深山里跑，他们跳下船就追，可就是追不上；他们喊叫，也没谁理睬。他们惊叹女人变心比闪电还快。

姑娘们追随七位仙子来到深山，他们彬彬有礼地向七位姑娘求爱，可她们说自己都有心上人了，不能接受他们的求爱。仙子们这才想起婚姻是月下老人主管的，不能强求。他们不无遗憾地瞥了姑娘们一眼，然后朝她们吹了口气，见姑娘们安全地回到家门口，他们才飘然回了天宫。

姑娘们回到家中，各自向未婚夫细说了经过后提出完婚，可未婚夫没有一个愿意娶她们。父母、兄弟姐妹、村里的父老乡亲也都冷淡了她们。她们求大海作证，她们是清白的，大海不语；她们求苍天作证，她们是干净的，苍天无声……

姑娘们悲愤地走进海里，以死证实自己的清白。

这时，正砍柴的未婚夫们看见闪电在眼前掠过，雷声在头顶炸开。正当阿祥对天大喊时，闪电中出现了一位美丽的姑娘，大声说道："吉利她们是贞洁的，她们受不了这种委屈，投海自杀了！"由于天上神仙的点化，姑娘们的身体变成了洁白的沙滩。风停了，雨住了。阿祥他们痴了般地朝海边跑去，一大片洁白如玉的沙滩出现在他们眼前。再看那海水，比以前更加清澈。他们倒在沙滩上痛哭不已。

在海湾的旁侧，层峦叠嶂的山峰和蓝天相连。被阿祥他们真诚的忏悔感动了的天帝，命手下打开天门。顿时，霞光万丈，海鸥盘旋，彩蝶飞舞，吉利和女伴们款款地从天门走出，踏上山顶。此时，她们七人都变成了仙女。她们告诉阿祥等人，这海湾属南海龙王第五个儿子牙龙管辖，这海湾应叫亚龙湾。

亚龙湾的美丽使得凡到过此处的人无不兴奋地说："三亚归来不看海！"因为亚龙湾那湛蓝如明珠的海水，那白如雪、软如棉、细如面的沙滩，那美似清纯少女的自然风光，给人们留下了终身难忘的印象。

水文化教育丛书

67·东海的传说

东海是"东中国海"的简称，是一个地理位置优越，资源丰富，同时也拥有着许多民间传说的广阔海洋！

传说之一，精卫用自己坚持不懈的毅力填的就是这片汪洋大海。在上古时代的发鸠山上有许多柘树（桑树）。树上有只小鸟，它的形状像乌鸦，头上有花纹，白色的嘴巴，红色的脚爪。它的啼叫发声像"精卫！精卫！"所以人们便称它为"精卫"鸟。精卫鸟本是炎帝的小女儿女娃死后变的。她生前很喜欢玩水，一天到东海去游泳，不幸遇到巨浪，被海水吞没，她死后就变成了精卫鸟。为了避免别人也被淹死在大海里，它决心要把东海填平。它每天从西山衔着树枝、石子飞到东海上空，将它们投下去。天天月月年年皆如此。如此好心、意志坚强的鸟也许一直就在东海的上空翱翔。

传说之二，张羽煮海以使得有情人终成眷属也发生在这片海上。当年，秀才张羽借寓于东海岸边石佛寺中。一日，他的琴声引来了东海龙宫的琼莲公主，两人志趣相投，琼莲临别赠与龙宫之宝鲛绡帕，暗许婚姻，并相约八月十五在海边相见。谁知琼莲为拒天龙之婚，被龙王关入鲛人洞中受苦，张羽闻报借助鲛绡帕闯入龙宫求见，反遭天龙羞辱，被绑在鲛人洞外化成礁石。琼莲得讯后取出颈下骊珠救张羽出龙宫，张羽生还人间，并得龙母指点至蓬莱岛求仙人相助。蓬莱仙姑赠他三件法宝，在沙门岛煮海，烧死天龙，降服龙王，最终成全了张羽和琼莲的美好姻缘。

传说之三，八仙过海，各显神通。有一天，八仙驾云去参加神仙会，路过东海。吕洞宾说："驾云过海，不算仙家本事。咱们不如用自家的拿手本领，踏浪过海，各显神通，你们看好不好？"众仙都说："好！"铁拐李第一个过海。只见他把手中的拐杖抛入东海，拐杖像一叶小舟，浮在水面上，载着铁拐李平平安安地到达了对岸。这时，汉钟离拍了拍手里的响鼓说："看我的！"随后，他也把响鼓扔进了海里，盘腿坐在鼓上，稳稳当当地渡过了东海。张果

老笑眯眯地说:"还是我的招数最高明。"只见他掏出一张纸来,折成了一头毛驴,纸驴四蹄落地后,仰天一声长叫,驮着张果老踏浪而去。张果老倒骑在驴背上,向众仙挥挥手,一会儿就到了对岸。接着,吕洞宾、韩湘子、何仙姑、曹国舅也都用身边带的东西作渡船,一个个平平稳稳地渡过了东海。七位仙人到了对岸,左等右等不见蓝采和的人影。

原来刚才八仙过海时,惊动了东海龙王的太子,他派虾兵蟹将抓走了蓝采和,还抢去了他的花篮。吕洞宾找不到蓝采和,又急又恼,他对着东海大声喊道:"龙王听着,赶快把蓝采和交出来,要不,当心我的厉害!"太子听了勃然大怒,冲出海面大骂吕洞宾。吕洞宾拔出宝剑就砍,太子一下子潜入了海底。吕洞宾哪肯放过他,拔出腰间的火葫芦,把东海烧成了一片火海。龙王吓得魂不附体,忙问出了什么事,太子只得老老实实地讲出了事情的经过。龙王立即下令放了蓝采和。八位仙人告别了东海,逍遥自在地去赴神仙会了。

68. 死海不死的传说

死海地处亚洲西部、巴勒斯坦和约旦的交界处，是西南亚的著名大咸湖。死海湖面低于地中海海面392米，是世界最低洼处。由于温度高、蒸发强烈、含盐度高，水生植物和鱼类等生物难以生存，死海之名随之产生。死海中没有鱼虾、水草，甚至连海边都寸草不生。但死海真的是像它的名字一般，死寂沉沉么？事实并非如此，至少在这片海里还少有"淹死"人的说法。

你也许不知道关于"死海不死"的说法，曾经有这样一个故事——

相传大约两千年以前，罗马统帅狄杜进兵耶路撒冷，攻到死海岸边，下令处决俘虏来的奴隶。但是奴隶们被投入死海，并没有像狄杜想象的那样沉到海里淹死，反而全都被波浪送回了岸边。狄杜勃然大怒，再次下令将俘虏扔进海里，但是奴隶们依旧安然无恙。狄杜大惊失色，以为奴隶们受神灵保佑，屡淹不死，于是下令将他们全部释放。

死海之所以不死，是因为海水的含盐量很高，海水浮力大。据统计，死海水里含有多种矿物质：有135.5亿吨氯化钠（食盐），63.7亿吨氯化钙，10亿吨氯化钾，另外还有溴、锶等微量元素。把各种盐类加在一起，占死海全部海水总量的23％～25％。这样，就使海水的比重大于人体的比重，无怪乎人一到海里就自然漂了起来，沉不下去。也正是因为"不死"的海水里含有丰富的矿物质，使得死海有了医疗保健功效，中东人民认为死海水能延续

生命。

　　传说古代埃及的艳后——克利奥巴特拉在享用了由希伯来进贡的死海的盐粉与泥粉后，被它神奇的美容护肤功效深深地吸引。为了达到终身享用死海泥盐的目的，埃及艳后命令她的情人安东尼将军起兵攻打占领死海。不料战争失败，安东尼的士兵沦为俘虏将要被海葬。这时候，神奇的事情发生了，被投入海中的士兵们非但没有被淹死，而且身上的伤口也很快地愈合了。人们都认为这是神明在保佑美丽的艳后和她的国家，从此以后人们把死海当成是一个圣地来朝拜。古希腊哲学家亚里士多德也曾在他的著作中描述过死海水的功效。

　　死海不死，相反，还有这许多"活生生"的益处！

69. 地中海趣闻

地中海位于亚、非、欧三洲之间的广阔水域，是世界上最大的陆间海之一。最早犹太人和古希腊人简称它为"海"或"大海"。因为此海位于三大洲之间，故称之为"地中海"。地中海西侧有一个直布罗陀海峡，直通大西洋，交通和战略位置显要。关于在直布罗陀海峡和地中海生活的猕猴，曾经有过这样一个趣闻：

英国一直流传着一个有关直布罗陀的传说，即当该地的地中海猕猴全部消失时，英国就会失去对直布罗陀的控制权。其实，这种猕猴原本生活在北非地区，并不是直布罗陀"原产"的，而是英国水手带去的"移民"。

虽然这只是一个传说，但是丘吉尔却对这个传说十分重视。当年，他甚

至郑重其事地向直布罗陀殖民地长官下命令："猕猴的数量至少要保持在 24 只,应立即采取行动将这一数字维持下去。"

　　同英国一样,这些地中海猕猴也经受了第二次世界大战的洗礼,地中海猕猴监测制度也由此产生。二战以后,直布罗陀的英国官员必须每六个星期向伦敦上报一次地中海猕猴的情况,报告内容包括每只猕猴的姓名、年龄和健康状况。政府还同意每天为每只猕猴支付 9 便士生活费,以保证它们顺利地成长,"结婚生子"。

　　经过人们长时间的不懈努力,地中海猕猴的数量在 1970 年恢复到了 32 只。到了 1971 年,地中海猕猴群的性别比例达到最佳水平:19 只雌猴和 18 只雄猴。直布罗陀官员这才松了一口气,并饶有兴致地给新出生的一只雌猴起名"罗斯玛丽",而这其实是新任长官妻子的名字。

　　窄窄的海峡,小小的猕猴,"嫁接"出如此妙趣横生的故事,着实地给地中海添加了更多有"味"的调料!

70. 爱琴海的故事

爱琴海位于土耳其的西部,与地中海相连,湛蓝的海,湛蓝的天,连远方岛屿上民居的门窗也漆成一色的湛蓝,这就是被诗人荷马形容为"醇厚的酒的颜色"的爱琴海。

这样一个美丽的地方同时孕育了美丽的爱情,成为许多情侣神往的圣地。传说在这片湛蓝的海水上曾经演绎了一段凄美的爱情故事。

古希腊有一位美丽的姑娘,她的名字就叫琴。琴是一位有名的竖琴师。相传她的琴声能使盛怒中的波赛东恢复平静;能让好嫉的赫拉心生宽容;能令阴沉的哈迪斯绽开笑容。

慕她之名,年轻的国王派来了使者发出邀请。可是琴却毫不留情地拒绝了他。琴说,她不会拨琴给目空一切、只会享乐的国王听。使者把她的话原封不动地告诉了国王,可谁想国王听后竟然笑了。第二天清晨,宫里的女官们发现国王不见了。

原来国王来到了琴所在的地方。他在美妙琴声的引领下,在典雅婀娜的橄榄树旁见到了琴。国王静静地看着她,被她天使般的美貌所深深吸引,原来这就是琴——美丽优雅的女神,微风轻轻拂过她娇美的面庞,夜莺在她肩头陪着她歌唱,阵阵花香缠绕在她的指尖随着拨出的音符飘向远方。

琴忽然感觉到了一股炙热的目光。她抬头望去,迎向年轻国王那比天空更蓝、比海更炫的目光。一刹那,爱情的火花迸溅,仿佛世界上只剩下彼

此，深情地对望着，他们相爱了。

从那天开始，国王总会在每天清晨悄悄出宫，而琴也会在每天清晨带上心爱的竖琴去一个神秘的地方。国王变了，不再目空一切，不再安于享乐。整个王国内都盛传是琴这位美丽的姑娘改变了国王，是他们的爱情造福整个国家。琴和国王的爱情得到皇室的认可。在所有王公贵族和臣民的一片祝福声中，琴被接进了宫中。

当所有人都认为他们的爱情会像童话一样完美的时候，来自地狱最黑暗的诅咒降临到了他们身上。原本友好的邻国突然发动了可怕的战争，为了子民的安全，国王不得不立刻奔赴战场。就在新婚之夜，他离开了深爱的姑娘。

琴每天都到曾和国王约会的地方，拨琴给远在战场上的国王听，但等来的却是国王战死沙场的噩耗。她拼命地告诉自己一定要坚强，要完成国王未竟的使命。琴披上了国王的染满鲜血的战袍，继续指挥这场残酷的战争。终于，战争胜利了。在举国欢庆的时刻，在那湛蓝的天空下，琴再也控制不住自己满腔的悲伤与绝望。

每天夜晚，琴都会含泪对着星空拨弄琴弦，她希望在天堂的国王可以听到。而每天清早，她都会到处收集散落的露珠，因为她知道那是国王对她爱的回应。

终于到了那天，琴追随她心爱的国王而去了。爱戴她的臣民把她一生收集的五百二十一万三千三百四十四瓶露水全部倒在了她沉睡的地方。就在最后一滴露珠落地时，奇迹发生了，琴的坟边涌出一股清泉，拥抱着她的身体，由泉变溪，由溪成河，由河聚海。

从此在希腊就有了这片清澈湛蓝的海水，人们称之为"爱琴海"。

71. 大西洋的由来

说起大西洋你或许不会陌生——四大洋之一,沿岸流经欧洲、非洲、北美洲、南美洲等,纵跨南北半球。但若说起和大西洋有些牵连的亚特兰提斯王国,你或许要问是怎么回事了。

亚特兰提斯的存在、灭亡,至今仍是在这个海上漂流着的一个谜。后人推论亚特兰提斯曾是个位于大西洋中的岛国,这也就是大西洋名称的来由。

亚特兰提斯因其在大西洋中的位置又被称作大西洲。据说在公元前400年希腊哲学家柏拉图所写的一本书里,记载了希腊元老院议员梭罗的声明,声明他阅读过古埃及图书馆里的书,书里载有大西洲的史料。

传说世界在分配之初,诸神答应将亚特兰提斯分给海神波塞东。亚特兰提斯是大西洋里一个岛状大洲,波塞东住在岛之中心。岛上气候温和,有清凉的流泉以解炎夏之热。岛民有先进的农业生产工具和密布的灌溉渠系。在这块富饶肥沃的土地上,人民建立了一个王国,除了这个中央王国以外,剩下的土地上被分为10个王国,由国王的儿子们治理。这10个儿子是5对双胞胎,他们都是由一个母亲生的。所有这些国家都拥有财富、矿藏无限。大地上有各种各样的植物和野生动物。

首都之中心是一座王宫,王宫里有一座神庙,神庙里的大殿上绘有波塞东及其妻的画像以供祭祀。神庙的墙由金子砌成,神庙本身则是用白银所

建造。神庙装饰着黄金、象牙和一种仅仅在大西洲才出产的如火一般的矿石原料。神庙里主要的神像是波塞东,他站在战车上,战车被6匹飞马拉着,周围环绕着100个勇士,他们骑在海豚上。

虽然10个儿子都分有领地,但最高权力归波塞东掌握。他制定法律,并按照法律将不服从他的人处死,埋在神庙的柱子下面。每隔五六年,儿子们觐见父王一次,讨论国之大事,并随带一头牛作为祭品。

过了很久以后,这个田园牧歌似的社会变得沉溺于物质享乐并由此腐败下去,为了争夺更多的财富以供享乐,国王开始组建军队去占领别国的土地。天帝宙斯——波塞东之兄震怒于这里的人的贪婪,乃以猛烈的火山爆发与巨大的海啸毁灭了亚特兰提斯,使它在一夜之间沉没于深海。

亚特兰提斯作为大西洋的一个小洲,或许它作为一种文明真的存在过,然而我们更应该把它的故事作为一个寓言,它说明的道理就是本来正直、善良、繁荣、安定的社会,一旦开始腐败堕落,就会遭遇多么可怕的、被毁灭的后果!

水文化教育丛书

72. 莫桑比克海的传说

有1 670千米长的莫桑比克海峡是世界上最长的海峡。长长的海峡,蓝蓝的海水,是印度洋小小的一部分。这里有着一个悠久而美丽的传说。

相传很久以前,生活在莫桑比克海边的一位渔夫非常精于捕鱼技术。他到海边捕鱼,每次总能满载而归。他因此赚了不少的钱,连在屋外挖的三个坑里都装满了金钱。一次,渔夫使劲地将鱼网拖出水面,竟是一条大鱼,正兴奋时,那大鱼突然发出人言道:"你以前常到海边捕鱼,你要多少我就给你捉到多少。可你太贪心,竟把我这个大海龙王也捉到网里了!你这么不知满足,只有死路一条了!"渔夫立马被吓昏过去。待迷迷糊糊醒来后,海龙王要渔夫以嫁一个女儿给自己为妻作为饶渔夫一命的条件。

几乎被吓瘫的渔夫晃晃悠悠地回到家,将遭遇告诉了家人。妻女们都哭了起来,大女儿、二女儿说什么也不肯嫁,而小女儿挺身而出,愿意为解救父亲和全家的危难而牺牲自己。渔夫化悲为喜,立即禀告给海龙王。随后,隆重的婚礼在法官主持下操办起来,海龙王变成了一个年轻人与小女儿举行了婚礼。喜宴过后,陌生的新郎带着新婚的妻子来到海边,将她抱起一同进入大海,到达海底一处沙地,说:"亲爱的夫人,如果你需要什么,只要用这棍子搅水,我的仆役就会马上到来满足你的任何愿望。可是,我对你也有条禁令:不准哭泣。我会一直对你好,但我们的夫妻情分也会因你流泪而走向尽头。"就这样,妻子一直遵守着约定,他俩也和睦

幸福地过着日子。

一天海龙王告诉爱妻,她的父亲死了,她理应回去奔丧,可一再嘱咐不要违背禁令。女人带着器具和礼品回到娘家,参加了父亲的葬礼。临走时她留给家人很多钱,便匆匆赶回了海底宫殿。几年后,母亲也命归西天了,赶回家奔丧的女人强忍着泪水,却被姐姐们指责没尽孝道。她不禁号啕痛哭起来。这样,她再也回不了海底宫殿。姐姐们指责她的无情而将她拒之门外,饥寒交迫的她无路可走,产生了投海自尽的念头。念旧情的海龙王突然冒了出来,帮助她与一个苏丹太子相识、相爱,并结为夫妇。夫妻两人恩恩爱爱地生活了好几年。不久以后,他们成为了苏丹国王和王后。

后来,王后的家乡发生了严重的饥荒,老百姓纷纷逃亡到了苏丹。逃荒者中也有王后的两个姐姐。王后为人宽厚善良,她不计前嫌地照顾她们,让她们幸福安宁地享尽天年。

这样一个美丽的神话,这样一位善良的女子,似乎神秘缥缈,其实就深藏在莫桑比克蓝蓝的海水里。捧起一汪海水就能嗅到这位善良女子的神灵气息,感知她的善良与美丽。

73. 芬兰河与海的神话

以"千湖之国"著称的芬兰,有湖泊,有河流,有海洋。你可知道在芬兰河流与海洋之间,有着这样一个悲情的故事?

在大海旁边一座山腰上有个安宁的村庄,村庄里住着一户农家,失去丈夫的母亲带着一对子女生活:哥哥血气方刚,妹妹如花似玉。尽管他们生活贫穷,可一家三口过得和和美美。一天,家财万贯的富裕邻居托人给他们送来一封亲笔信。母亲让儿子念给她听,儿子越往下读就越不肯读了,他的脸色越来越苍白。母亲奇怪地问:"你是怎么了?"儿子气愤地叫道:"这个不要脸的老头子,他已是到了快入土的年龄了,竟然敢向妹妹求婚!他以为他有钱就能买到一切吗?!"说完,呼地一声打开房门,向雪地飞奔而去,他要通过跑步来忘掉这气恼。

等到他回家时,妹妹早已像给泪雨打湿的海棠花了。他奇怪地问:"妈妈呢?"妹妹说:"妈妈送回音给邻居老头了,她说我家太穷了,为了我的终身幸福,让我就嫁给富老头算了,反正他也活不了多久了。"接着,她又哀求哥哥说:"什么也别对妈妈讲,你也别再发火。反正我是不会嫁给这个糟老头的。"

接下来的几天,家里被一股不祥的阴冷气氛笼罩着。妈妈正忙着为女儿赶制嫁衣,女儿装作顺从的样子试穿着婚纱和礼服。可是一天早上,她的人却不见了。

妈妈和哥哥找不到她,非常着急。打开房门,只看到雪地上一串脚印朝大海方向延伸。他们想她肯定是天亮前

水文化教育丛书

才离家出走的，因为半夜里下了漫天大雪，天亮前雪才止住。村人们纷纷帮着前去寻找。姑娘的脚印和一路摔跤的印痕将人们带到了大海之滨。可到了那里，脚印却没有了……

妈妈立即明白女儿是投大海了，不由得放声大哭。哭呀，哭呀，泪水汇成三道小溪，又变成三条河流，从山岗间穿过三道山谷，奔流到大海里去了。

那个富有的老头子对失掉邻居的美姑娘也感到很伤心，但很快就恢复了信心，他认为金钱是万能的，有钱不怕娶不到美丽的少女。于是，他请人做了一个特制的渔具：黄金钓竿、银鱼钩和钩上镶着宝石的鱼饵。制成后，他就擎着它，得意洋洋地来到海边，坐着小船去姑娘沉没的海面上钓鱼去了。

他钓呀，钓呀，钓了好久，才钓到一条十分漂亮的花纹鱼，这种鱼人们从来没见过。老头子非常高兴，正准备捏住它丢进船舱时，鱼儿扑腾着一甩尾巴从他手里滑脱到大海里。一会儿，鱼儿从两朵浪花间探出头来，张开嘴巴，发出少女般清脆悦耳的声音："你竟然认不出我来吗？你是想把我拿回家，煮熟了吃吧？我就是讨你喜欢的邻家少女呀！"

老头子以为碰见了海妖，吓得扔掉金钓竿，弃船下水，登岸而归。从此，他就守着他的万贯家财再也不敢提出娶亲要求了。至于那位可怜又可悲的妈妈，人们再也没有看到她。传说她为了痛悔自己的过错而终日哭泣，因此多少年来，那三条泪河一直长流不断，向着冬日清晨她女儿的藏身之处——大海海湾不停地流去。

也许直到现在，芬兰的河水里都流淌着这位母亲咸涩的泪水，一直注入大海，化成咸咸的海水。

伍

「瀑布」

74. 尼亚加拉瀑布的故事

尼亚加拉河位于北美洲，自伊利湖流注安大略湖。伊利湖流水汇集了苏必利尔、休伦和密歇根三大湖水，然后从这条河流往安大略湖。该河流只有56千米长，不过河谷狭深陡峭，形成一个很深的断层。河的东面是美国的纽约州，西面是加拿大的安大略省，尼亚加拉大瀑布就坐落在这里。经过科学家的考证，尼亚加拉瀑布已经有一万多年的历史了。

在印第安语中，尼亚加拉的意思是"水声如雷"。这个瀑布有一则动人的传说：在很久以前，有一位部落的酋长看中了一位美貌的印第安姑娘。他托人传出话来，想要娶她为妻，且定下了婚期。但长期生活在尼亚加拉河边自由自在惯了的姑娘已经有了意中人，他俩青梅竹马，感情深厚，早已私定终身。虽然酋长送来了许多财宝衣物，姑娘也不为所动，不愿嫁给酋长。但是碍于酋长权威、当地风俗以及父母之命，姑娘很难启齿拒绝这件婚事。

无奈的姑娘还是被迎娶到酋长的家中。然而，在新婚之夜，酋长洋洋得意地陪着大家喝酒热闹之际，姑娘什么行李也没有拿，只身一人悄悄地离开了新房，划着独木舟沿尼亚加拉河而上。酋长回到洞房，发现新娘不见了，连忙叫人四处寻找，却怎么也找不到新娘的身影。在汹涌的河水中姑娘顽强拼搏，脱离险境后择地而安，并日复一日地辛勤劳作，慢慢地变成了美丽

的仙女,而且后来经常出现在大瀑布的彩虹中。

　　那自上而下日夜奔流的瀑布,发出震耳欲聋的声音,这是美丽的印地安姑娘对部落酋长的抗议之声,也是向她的意中人表示对爱情忠贞不二的坚定誓言。

75. 黄果树大瀑布的传说

黄果树大瀑布发源于珠江水系的北盘江支流打帮河,河水从断崖顶端凌空飞流而下,倾入崖下的犀牛潭中。

黄果树大瀑布飞流直泻,如捣玉崩珠;马蹄潭、犀牛潭激浪翻涌,似千堆白雪;水沫腾起半空,飘飘洒洒而下,丽日辉映,一道斑斓彩虹横跨马蹄潭上连接了瀑布两岸。关于这幅美景,有一个美妙的传说。

据说,三国时代诸葛孔明南征。关羽的义子关索奉孔明之命,率本部兵马先行来到黄果树瀑布畔,只见白水河拦住前路。白水河虽然不宽,但却水深流急,上下百十里并无一座桥可过河,亦无舟楫可用。关索只得传令,大军在河西岸扎下营来,派人伐木造舟。

待造好一只木船,关索令军士抬到河里试渡。殊不知河水十分湍急,船划不过对岸去,反而被冲着往下漂游,漂去不远便栽下黄果树大瀑布,船碎人亡。

关索无奈只得又下令开山取石架桥。千百军士日日夜夜在西山下叮当敲打,却打不下几块石头。这里的石头像铁一样硬,一锤砸去连印子都不起一个。许多军士的虎口震裂了,腰杆累断了,才打下一堆石块,勉强够建一座小桥。

在关索军准备动手建造拱桥的头天晚上,西山顶上下来一位白胡子老

人，骑着一匹长犄角的小马，腰间挂一个圆溜溜的葫芦。

老头悠悠然然来到采石场，取下腰间葫芦，在采下的石块上每块滴一滴水，滴完后连人带马就消失了。

次日，军士们用采下的石头去建桥。桥建好后，关索亲自骑着战马带头从桥上过河。谁知，原来比铁还硬的石头，却变得跟豆腐一样软了。关索的马刚一踏上桥，桥就坍塌了。关索和马一起掉下河去，马蹄在豆腐似的石头上踏出一个大蹄印，这就是现在的马蹄潭。幸而关索骑的是一匹白龙马，落下河后，战马纵身一跃，又把关索驮上岸来，关索才捡回一条性命。

这时，白胡子老人又出现了。他问关索："你为何要带兵来此？"

关索道："奉主公和军师之命，拓展西蜀疆域，统一华夏江山。"

白胡子老人又问："此地百姓愿归顺你家主公么？"

关索猜想，这个老神仙一定是此处山民的首领了。他急忙滚下鞍来，对白胡子老人跪拜道："我家主公顺天意，心怀天下百姓，兴盛华夏江山，万望老神仙辅助，同创万代大业。"

白胡子老人听关索说得在理，见蜀军并无恶意，便答应帮忙渡河。

他骑着长犄角的小马走了，第二天带来九个仙女般的南国姑娘。九个姑娘每人背着一大背篓七色丝线，手拿一只亮闪闪的银梭。

九个姑娘在瀑布边织锦。织了九天九夜，织出九千九百九十九匹色彩鲜艳的锦缎。白胡子老人把锦缎一匹匹往大瀑布下的河流上空一抛，瞬间变成了一座五彩斑斓的大桥。关索率军马平安过桥，渡过了阻隔的白水河，辞别老神仙和仙女，继续往南进发。

76. 九寨沟诺日朗瀑布的由来

九寨沟距成都市南约 400 千米。九寨沟瀑布群,自长满树木的悬崖上或滩上悄悄流出,瀑布被分成无数股细小的水流,或轻盈曼妙,或急流直泻,千姿百态,妙不可言。

其中,最宽阔的瀑布叫诺日朗,高约 30 米,宽达百米,水从静海穿林过滩慢悠悠地流来,凌空而下,银花四溅,流泻出一种令人心醉的纯净色彩。

诺日朗瀑布顶部平整如台,传说以前这里没有瀑布,只有平台。有一年,远游归来的扎尔穆德和尚带回了贝叶经、铁犁铧和手摇纺车。一位聪明美丽的藏族姑娘若依果很快学会了用纺车纺线。她把纺车架到三沟交界的平台上,让过往的姐妹们观看、学习,于是,这里的人们便称这个平台为"纺织台"。看到人们醉心于向若依果学习纺线,凶残的头人罗扎便认为她在搞歪门邪道,气势汹汹地带着一帮恶徒一脚把若依果和纺车踢下了山崖。立刻,山洪暴发,把罗扎和帮凶冲下悬崖,纺织台就成了今天的瀑布。

若依果在掉下山崖之后,一根纺线牵连着她,让她平安落地,躲过了灾

难。从此，她远走他乡，专门教别人纺线织布，成为人见人爱的民间艺人。藏语中诺日朗指男神，也有伟岸高大的意思，因此诺日朗瀑布的意思就是雄伟壮观的瀑布。滔滔水流自诺日朗群海而来，经瀑布的顶部流下，如银河飞泻，声震山谷。南端水势浩大，寒气逼人，腾起蒙蒙水雾。早晨阳光照耀下，常可见到一道道彩虹横挂山谷，使得这一片飞瀑更加丰姿迷人。

水文化教育丛书

77. 壶口瀑布的传说

黄河壶口瀑布位于山西吉县城西 45 千米,地处黄河晋陕峡谷段的河床上,是国内外罕见的黄色瀑布。滚滚黄河水在这里急速收敛,汹涌的河水霎时倾泻而下,巨响如雷,黄浪滔天,雾气飞腾,震天撼地。

关于壶口瀑布,民间有许多传说。其中流传最广的,是禹凿孟门的故事。

相传在尧舜时期,黄河水流到壶口,由于受孟门山的堵阻,使得平阳一带常遭严重水灾。尧派鲧治水未成,改派禹去治水。禹仔细了解了壶口至龙门的地形,决定采取疏通河道的方法来治理洪水。孟门山在龙门之北,治水便从孟门山开始。

为了不让洪水淹掉孟门山,禹组织民众从孟门山的两边挖通河床,并在山顶凿了一头"镇河石牛"。石牛凭借神威指引河水顺河道而行,不让河水淹掉孟门山,也不许其泛滥成灾。因此,几千年来,不论洪水多大,浪头多猛,从来没有淹没过孟门山。

在壶口,还有一则关于龙王爷的传说。相传两千多年前,黄河水位高达数百米,龙王爷就居住在现今龙王山处。大禹治水凿开龙王山,大水冲出,水位下降,龙王山露出水面。龙王爷无处藏身,就使尽全力往地下钻,他的尾巴不断拍打岩石,最终造出了这个深达几十米的瀑布和长

约数千米的石峪龙槽。

龙王爷居住在瀑布之下，口吐万丈洪水淹没了方圆百十里地面，万民遭灾。西天王母得知此事，抛出宝石，准备填平瀑布，但却被龙王顶回，落到了龙槽之下的河心。王母抛石没有镇住瀑布，龙王继续吐水为灾。天上的玉皇大帝得知后，派二郎神率九员天将，下凡欲征服龙王。二郎神及九员天将在距瀑布十多公里处摆开战场，谁知九员天将转眼被龙王杀死，二郎神只得回到天庭上报玉皇大帝。玉帝大怒，顺手将桌上的茶壶抛出，将龙王收到壶里，安放在瀑布之下。这就是瀑布又称壶口的来历。

后来玉帝听说龙王被关以后，自觉认罪，表现甚好，便将其提前释放。龙王又回到了壶口，就在瀑布底下给自己建造了一座富丽堂皇的宫殿，从此久居壶底，使瀑布方圆数百里年年风调雨顺，岁岁五谷丰登。

78. 镜泊湖瀑布的传说

水
文
化
教
育
丛
书

镜泊湖瀑布又称吊水楼瀑布,位于黑龙江省宁安县西南。

在瀑布附近有一座"红罗女"文化园,其间以雕塑为语言记载了红罗女的传说。

红罗女是镜泊湖的象征,被誉为镜泊湖之魂。传说,在遥远的古代渤海国时期,镜泊湖边住着一位聪明美丽的渔家姑娘。因为她最爱穿红色罗裙,人们都称她为红罗女。红罗女的美貌智慧传到四面八方,许多青年人纷纷慕名前来求婚。红罗女传出话来:无论谁来求婚,都必须回答一个问题:"什么是人间最宝贵的?"

前来求婚的人形形色色,有文人、勇士、商人……渤海国国王听说,也慕名而来。文人讲:"人间最宝贵的东西是读书,满腹文章,博得官禄皆足。"勇士说:"人间最宝贵的东西是武艺,棍棒刀枪,才能驰骋沙场。"商人答:"人间最宝贵的东西是金钱、珠宝。"国王道:"人间最宝贵的是权威、势力。"红罗女听了他们的回答,摇摇头说:"你们都没有答对我提的问题。"于是,文人、勇士、商人都含羞而去,不再提亲事了。只有厚颜无耻的国王赖着不肯走。红罗女十分讨厌他,便驾着一叶小舟,拂袖而去。

一日清晨,晴空万里,湖岸万木吐绿,鲜花盛开,湖上水鸟齐鸣。红罗女正在珍珠门里荡舟捕鱼,忽闻远处传来悦耳的歌声。她循声望去,见一位英俊的青年渔郎,驾着一叶小舟飞快而来。渔郎用甜美的歌声,圆满地回答出"人间最宝贵的是什么"这一令人深思的问题。红罗女听了,喜出望外,她深情地对渔郎说:"黄金有价,情无价,财宝可得,知音难求!渔郎哥哥最知我的心。"于是,他们定下终身,永结良缘。

渤海国国王贼心不死,为了霸占红罗女,他命令手下亲信,带着卫兵来到镜泊湖,乘红罗女不在,杀害了渔郎。红罗女得知渔郎被害的消息,极度悲伤,便用三天三夜的时间,织了一块薄薄的面纱,把面容罩上,不许别人看见,以此来悼念她的心上人。

一天，红罗女罩着面纱，驾着小舟，在珍珠门里捕鱼。忽然迎面驶来一条大龙船，只见国王站在船头上得意地高声叫道："红罗女，快快摘掉你的面纱，让孤王看看。"

　　红罗女看到残暴的国王，怒从心生，斩钉截铁地说："我的容貌只许渔郎一人看，不许第二个人瞧。"

　　国王听了这话，恼羞成怒，喝道："小小渔女，胆敢出此狂言，快快同我回上京龙泉府，做我的妃子。"

　　"残暴的魔王，你休想！"红罗女怒斥了一句，驾船便走。

　　"别让她跑了，快给我抓住！"国王一边喊叫，一边命龙船追拿。

　　大龙船奉命紧追不舍。可奇怪的是，无论龙船怎么快，也撵不上小渔舟。小舟飞也似地驶出珍珠门，绕过大、小孤山，来到北湖头吊水楼瀑布前。此时红罗女已下决心要给渔郎哥哥报仇！她瞅了眼快追到跟前的大龙船，把心一横，牙一咬，使劲一拨船桨，小舟垂直地竖了起来，顺着瀑布飞下了深潭。渤海国王看情势危险，忙命龙船停下，可是为时已晚，大龙船被急流卷进了深潭，只听轰隆一声巨响，船毁人亡，国王与随行的官员、卫兵全都葬身鱼腹。

　　红罗女却没有死。从此，她便坐在瀑布后边的水帘洞里，瀑布上空腾起的白雾，就是她亲手织出的素纱。那渔郎被国王杀害后，变成了渔郎鸟，每当盛夏的清晨，渔郎鸟便叼着鱼，从湖上空飞来，在瀑布跟前盘旋，那是给红罗女送来了早餐。这时，瀑布的帷幕便轻轻拉开，露出了红罗女美丽动人的容颜。

79. 九龙瀑的传说

　　民间传说黄山九龙瀑是东海龙女公主归海的地方。

　　古时候，古绩溪畔居住着一对无儿无女的善良老夫妻。一天，老爹爹在香炉峰下挖草药，突然见到苦竹潭里有一个闪烁着红光的石蛋，老爹爹便将石蛋捡回了家。夜里，石蛋就放在床上老俩口的身旁，不料下半夜突然"叭拉"一声裂响，石蛋中走出一个红衣绿裤的小女孩。小女孩见风就长，转眼变成了十八岁模样的大闺女，到老俩口跟前跪身下拜，口中喊道："爹，娘。"老俩口喜出望外，给她取名"水妹"。消息传出，附近一个恶毒财主赵吝啬，非要老俩口将水妹许给他的痴呆儿子为妻。老俩口当然不答应。

　　一天，水妹在山泉边梳洗，见一白发老公公（黄山神）飘然而来，告诉她：三年前东海龙王与王后云游黄山，飞越香炉峰时，王后突然腹痛，产下一个龙蛋在碧波潭里，幸得二老体温孵化，才有她水妹的今天。算起来，她应该

是东海龙王的第九个龙女，二老是她的再生父母。水妹得知赵吝啬逼婚，便将自己的身世如实告诉了二老。了解到水妹的身世，二老便要水妹快回东海去。水妹心中不舍得爹和娘，但无奈二老非要她回东海不可，她只好答应除了山中恶霸再回东海不迟。

三天后，赵吝啬带了家丁打手，闯到二老家，要强抢水妹，在搏斗中老爹爹被家丁砍伤。水妹悲愤填膺，腾空变成一条玉色巨龙，一伸爪，将赵吝啬抓得粉碎，龙尾一卷，将家丁全部卷入碧波潭水底。

龙女飞下云头，将爹爹背上，告别老婆婆要去东海给爹治伤。那巨龙飞到香炉峰悬崖下，听到娘不舍的呼唤声便回头一望，在峭壁上便留下了一处清波水潭。老婆婆先后喊了九声，玉龙回首了九次，峭壁上因此留下了九节飞瀑、九个清波水潭，这就是现在的黄山"九龙瀑"。自玉龙归海后，老婆婆终日守候在瀑布边的岩石上，等待龙女回来，这就是后人敬称的"慈母岩"。

80. 九鲤湖瀑布的传说

水
文
化
教
育
丛
书

　　九鲤湖位于福建仙游城东北方向约 25 千米处的何岭山峦之巅。这是一个天然石湖。

　　相传汉武帝时，安徽芦江有一个叫何任侠的人生了九个儿子，但除了老大额头中间有一只眼睛外，其余八人全是瞎子。有一年九兄弟随父亲到江西临川淮南王刘安家作客。晚饭后，他们听到父亲和刘安在堂上窃窃私语，得知刘安要谋反。他们苦苦劝告父亲不要同刘安合谋，但其父不听。

　　九兄弟只好背着父亲连夜逃走，历尽千辛万难，来到了仙游海滨。时值深秋，枫叶流丹，他们采枫叶，折枫枝，在山坡上盖起了一座亭子，当晚就在亭里过夜。后来这座亭子就叫作"枫亭"。

　　翌日黎明时分，九兄弟离开枫亭，往北继续行进，傍晚时分，来到一座山岗。那里古木参天，清溪蜿蜒。口渴的兄弟们寻到溪边，捧起清凉的溪水，连喝几口。谁知，水珠沾上眼睛，顿时感到有点亮光；再洗几下，眼睛全部睁开了，山山水水，花花草草，都看得一清二楚。后来这条溪便叫作"仙水溪"，他们停留的地方就是现在的"仙水村"。旧时，人们还在溪边修建了一座"洗睛亭"。

168

何氏九兄弟重见光明后，兴高采烈地爬上山顶，决定在那里安家。他们忙着伐木搭架，只一夜的工夫，就把房子盖起来了。第二天早晨，兄弟们开始生火烧饭。这时，有几个樵夫上山砍柴，老远看到山顶火光直冒，以为山林失火，边喊叫边跑，往山上冲去。何氏九兄弟不知出了什么事，连忙往东边逃去。后来这座山就叫"九仙山"，至今石头上还留着巨大的脚印。

离开九仙山，又往深山行。他们来到一个天然的石湖边，那里胜似世外桃源，九兄弟流连美景便就地居住下来。当时仙游山区瘟疫流行，灾害频繁，地方官员根本不管百姓死活。何氏九兄弟非常同情人民的疾苦，他们白天采药，晚上炼丹，然后将丹药送去医治百姓。

那年中秋佳节，九兄弟临湖赏月，忽见湖中金光万丈，刹那间，跳出九条鲤鱼，跃跃欲飞。原来湖中的鲤鱼吃了何氏兄弟炼的丹药成了精，就要上天了。兄弟们心中大喜，各乘一条鲤鱼冲天而去，成了神仙。

后来人们就把此湖称为"九鲤湖"，如今又成为闻名遐迩的风景区。人们在湖边建了一座九仙祠供奉九仙。

仙游县原名清源县，因为这传说，才改为"仙游"。

81. 伊瓜苏瀑布的 三个动人传说

水文化教育丛书

伊瓜苏瀑布位于阿根廷和巴西边界上，伊瓜苏河与巴拉那河汇合点上游。瀑布为马蹄形，高 82 米，宽 4 千米，是北美洲尼亚加拉瀑布宽度的 4 倍。

伊瓜苏河宽阔的河面，从巴拉那高原边缘落入一个狭窄的峡谷，形成此瀑布，人们形容它为"大海泻入深渊"。在阿根廷瓜拉尼人的语言中，"伊瓜苏"是"大水"的意思。它是世界上最宽的瀑布。

在当地的印地安人中流传着这样一个凄美哀婉的故事：

伊瓜苏河的河神原是一条名为玻伊的巨蛇，经常在河中兴风作浪，造成洪水泛滥，两岸民不聊生。为了取悦河神，祈求平安，这个地区的居民每年必须献上一名美丽的少女给河神，并举行隆重的祭奠仪式。印第安少女娜琵，因为她沉鱼落雁的美貌注定了她成为祭品的命运。但她与少年塔罗巴深深相爱，无奈之下，他们相约趁夜乘独木舟逃跑。但是他们勇敢的行为激怒了无所不知的河神，河神把少女娜琵变成了任瀑布抽打的岩石，而把少年塔罗巴变成了悬崖上的一棵棕榈树，让这对恋人可望而不可及，用这样的方法来折磨他们。可是，让河神没有想到的是，

每当日正中天的时候，瀑布腾起水雾中的彩虹，却成了他们相会的"鹊桥"……

关于伊瓜苏瀑布，在瓜拉尼人中还有一个美丽的传说：古代一位酋长的女儿爱上了一位聪明英俊的青年，但酋长嫌这青年门第贫寒，不同意把女儿嫁给他。女儿万般努力仍不被获准，于是挥泪投进伊瓜苏河，以示对爱情的忠贞不渝。她洒下的眼泪顿时化作滔滔洪水，直泻而下，成为终年飞流的瀑布。

似乎拥有美好事物的地方永远都不乏美丽动人的故事：有一位部族首领的儿子站在河岸上祈求诸神恢复他深爱的公主的视力，然而诸神告诉他，只有以他的生命为代价，公主才能够重见光明。这位年轻人为了自己深爱的人，毅然答应了诸神的要求，大地顿时裂为峡谷，河水咆哮涌入，瞬间将年轻人卷进谷里。

后来，公主果然重见光明，而她，也成为第一个看到伊瓜苏瀑布的人。

水文化教育丛书

82. 维多利亚瀑布的美丽传说

维多利亚瀑布，又称莫西奥图尼亚瀑布，位于南部非洲赞比亚和津巴布韦接壤地区，地处赞比西河上游和中游交界处。

维多利亚瀑布是非洲最大的瀑布，落差 106 米，最宽处达 1 690 米。它在当地的名字是莫西奥图尼亚，可译为"轰轰作响的烟雾"。关于这个瀑布，还有一个美丽的传说。

据说在神秘的深潭下面，居住着一群如花般貌美的姑娘。当年，她们带着铃铛从天而降，巡游人间。本来约好，如果遇到紧急情况，摇动铃声，天神就会赶来救助。然而，看到壮观美丽的维多利亚瀑布，她们欣喜万分，任情嬉戏，不小心把铃铛掉到万丈悬崖的下面，霎那间没有了踪

影。这下可怎么回去呢？

无奈的她们，一边在维多利亚瀑布旁种田织布，过着平民的生活；一边经常身着五彩衣裳，日夜不停地敲打着非洲特有的金鼓，想让鼓声传到天上，以求得到救助。然而，金鼓发出的咚咚巨响，变成了瀑布震天的轰鸣；姑娘们身上的彩衣被瀑布反射到了天上，在太阳的照射下变成了瑰丽的七色彩虹。

周围的百姓倒是听见了鼓声，都来看望，并对姑娘们的美丽啧啧称赞。后来，姑娘们逐步习惯了人间的生活，与水为伴，与人相处。劳作之余，姑娘们经常跳着欢快的舞蹈，脚下溅起的千姿百态的水花化作了漫天缥缈的云雾。正因为有这一群美丽的姑娘，维多利亚瀑布的壮景才由此形成。

陆

「泉」

83. 虎跑泉的由来

位于西湖西南隅大慈山白鹤峰麓的虎跑泉,素以天下第三泉著称。它是西湖十景之一,在距杭州市市中心约5千米的虎跑路上。

虎跑泉是一个两尺见方的泉眼,清澈明净的泉水,从山岩石罅间汩汩涌出,泉后壁刻着"虎跑泉"三个大字。关于虎跑泉,有一个流传很广的传说。

据说在唐代以前,这里既没有泉水,也没有大的寺宇。唐宪宗元和年间,有位法名性空的和尚云游至此,见大慈山白鹤峰麓环境清幽,于是打算栖禅在这里。不过经过进一步考察后,他发现这里缺少饮用的水源。有一天,来了两个力大无比的兄弟,哥哥叫大虎,弟弟叫二虎。兄弟俩长期流浪在外,近日才来到杭州。他们听说性空和尚想在这里建造大寺院,只是苦于无水,于是决定削发为僧,做性空和尚的徒弟,专为寺院挑水。性空和尚见他俩心诚,便收他们为徒了。

每天早上,大虎、二虎很早就到大慈山外的西湖中去挑水。由于他俩力气大,挑回的水一般都足够师徒三人享用。不过,性空和尚想的是建造一座大寺院,兄弟俩即使再有千斤之力,从西湖里挑来的水也不够建寺之用。性空和尚为此事一直发愁。有一天,大虎突然想起他们在南岳衡山的时候,一次口渴异常,刚好遇到一眼山泉,泉水清洌甘甜。后来听当地的人说这眼泉叫童子泉,是一眼稀世的仙水。于是,大虎对二虎说:"我们何不把它移来?"二虎听后,拍手叫好。于是兄弟俩告别师父,历尽千辛万苦,终于赶到了童

子泉。性急的二虎上前就要搬，可是童子泉却一动也不动，兄弟俩没有办法，只能望泉兴叹。这情景刚好被一守护童子泉的小仙童看到，于是他走出山林，告诉兄弟俩："这童子泉是仙泉，凡人是搬不动它的。不过如果你们愿意脱俗成虎，这泉就可以移动。"

一听这话，大虎和二虎马上应允。于是，小仙童便在他俩身上拂柳枝，洒仙水。顿时，两只斑斓猛虎从烟雾中跳出来，随后小仙童拔出童子泉，跨上大虎之背，并催赶二虎驮着童子泉，飞快地赶往杭州。

一天夜里，性空和尚正在打坐，朦胧中看到两只口渴异常的老虎在禅房外刨地作穴。性空和尚猛地惊醒过来，打开门一看，没有

见到老虎，却有一股清泉从石崖间涌出。性空和尚很快明白，这就是大虎和二虎移来的童子泉，它由"二虎"刨地作穴而成。所以，他就给这眼泉取名为"虎刨泉"。不过后来觉得此名有些拗口，便改名为虎跑泉。从此以后，白鹤峰麓便有了虎跑泉，而性空和尚栖禅的大寺宇也很快建成了。

84. 蝴蝶泉的传说

蝴蝶泉,位于苍山十九峰的第一峰云弄峰下,离云南大理城不到两千米,是大理白族的名胜景地。关于它的由来,民间流传着各种各样的传说,不过其中有一个是最具有代表性的。

据说,蝴蝶泉原名无底潭,潭边住着一位樵夫张老爹和他的独女雯姑。一天,父女俩上山砍柴,路上一只受伤的小鹿突然跑来伏倒在雯姑身边,呦呦哀叫。随后,一个手持弓箭的猎手追了上来。这时,雯姑抱起小鹿向猎人求情,希望他不要杀死小鹿。那个猎人叫霞郎,他不仅接受了雯姑的请求,而且还以小鹿相赠,并从药囊中取出药粉,为小鹿敷药治伤。雯姑对霞郎感激不尽。从此以后,两人就常在无底潭边相会。雯姑还把自己绣有一百只蝴蝶的"百蝶巾",作为爱情的信物送给霞郎。

岂料,在大理城里的虞王,早已对美貌的雯姑垂涎三尺。他求婚被拒后,就借口要让雯姑到虞王府里绣百蝶,硬把她抢走。张老爹也被虞王府兵丁活活打死。

幸好那只小鹿通人性,在目睹这一幕幕惨状后,马上飞奔到山上找到霞郎,咬着他的衣裳拼命往山下拽。霞郎来到无底潭边,看到了雯姑留下的信,安葬了老人,他便背上弓箭,骑马举刀赶到了虞王府。趁着夜深人静,霞郎救出了雯姑,可是很快被虞王发现,急派总管率兵追来。霞郎张弓搭箭,

一箭射倒一个追兵。无奈追兵人多势众，霞郎只能护着雯姑且战且退，最后退到无底潭边。这个时候，霞郎的箭已经射完，刀也砍断了。无路可逃之时，霞郎雯姑相拥着跃入无底潭，小鹿也跟着跳入潭中，为自己的主人殉节。说来也奇怪，就在他俩跳潭的时候，万里晴空突然电闪雷鸣，下起了暴雨，把虞王的总管和兵丁吓跑了。

雨过天晴，鸟语花香，潭中飞起一对大彩蝶，随后又飞出一只只彩蝶。据说，它们就是霞郎、雯姑与小鹿及霞郎贴身所带的"百蝶巾"变出的。

为纪念霞郎、雯姑，人们不但把无底潭改名为"蝴蝶泉"，还在他俩跳潭殉情的农历四月十五这一天，来到泉边凭吊，怀念这对坚贞不屈的情人。此外，一对对情侣恋人，在这天到泉边聚会，唱调子、跳舞，倾诉爱恋之情。四面八方的彩蝶，也在这天纷纷飞来泉边相会，于是这里就成了大理的奇特景观之一。

85. 北京玉泉的传说

北京的"天下第一泉"——玉泉，位于颐和园以西的玉泉山南麓，出露在奥陶系石灰岩缝隙中。玉泉"水清而碧，澄洁似玉"，故称玉泉。

相传，古代玉泉泉口附近有块大石，镌刻着"玉泉"二字，玉泉水从此大石前经过，宛如玉液奔涌，翠虹垂天。于是，在公元 12 世纪末，金章宗完颜景把玉泉纳入燕京八景，命名为玉泉垂虹。但不知何时起，大石消失，涌泉处也成为碎石一片，到清朝乾隆的时候，皇帝又把玉泉垂虹改为玉泉趵突。

关于玉泉，有这样一个传说。

据说在很久很久以前，北京的大部分地区还是一片苦海。苦海中有一个凶残的龙王，百姓们都被他赶到山上，而山下的地盘全都被龙王、龙母、龙子、龙媳、龙孙一家霸占着。这时出了一个身着红袄短裤衩的少年英雄，名叫哪吒。哪吒打败了恶龙一家，并抓住了龙王和龙母，勒令他们住在西山附近的一处海眼中，同时还在海眼上砌了一座白塔，让他们永世不得翻身。从此以后，苦海中的苦水退下去了，北京也变成了一片陆地。

被哪吒打败的龙子龙孙们不甘心住在西山附近的海眼里，他们一直在等待机会报复。有一天，龙王听说要建北京城，气得龙鳞直翻。于是，龙王一家乔装打扮成赶集的老百姓，混进正在建造的北京城。龙王让龙子、龙女分

水文化教育丛书

别将北京城内的甜泉水、苦泉水喝进肚里，然后变成两只鱼鳞水篓，由龙王、龙母装到独轮车上，推回西郊。

主持建造京城的官员虽然听说龙王一家偷走了北京的泉水，但谁也不敢前去追索。这时，一位名叫亮亮的工匠挺身而出，请命前去追回泉水。命官见他气度不凡，便同意了他的请求，同时授予他一支锋利无比的红缨枪，叮嘱他说："你赶上龙王一家后，一定要尽快刺穿那两只鱼鳞水篓。"

英雄气盛的亮亮，武功非同一般，他很快就追到西郊的玉泉山下，一枪就刺穿了由龙女变的苦泉水篓，苦水"哗"的一声流淌在地上。这时百姓们也赶到了，大伙儿共同奋力战斗，终于把龙王擒住，杀了他。龙子为了活命，也只好乖乖地将甜泉水吐出，还给北京城。从此，玉泉山下便有了一眼源源不竭的甜泉水，因泉水清澈碧透，晶莹如玉，人们便称它为玉泉。

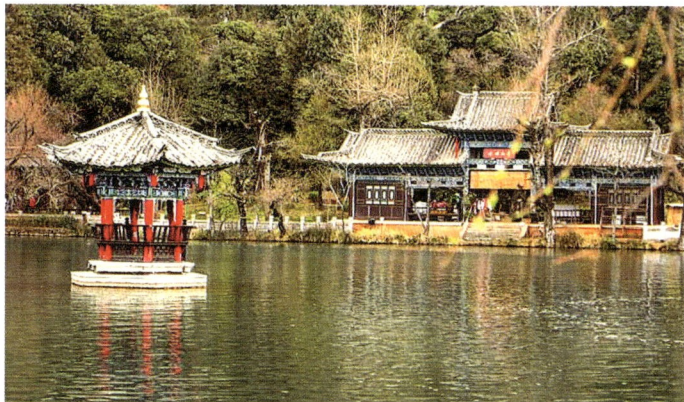

86. 第五泉的故事

历来为人称颂的西园，位于扬州大明寺西侧，也称平山堂御苑。西园中的第五泉，就是唐人张又新在《煎茶水记》中所列的天下第五泉。

关于第五泉，还流传着这样一个故事。

据说，当年欧阳修对第五泉的说法表示过异议。欧阳修被贬官后，由滁州再迁扬州，做了江都太守。因为仕途坎坷，怀才不遇，所以常常外出，寄情山水，饮酒赋诗。有一天，他来到大明寺，寺中老僧见来者是个州官，一面施礼，一面打发小和尚去泡香茶。不过老僧虽然知道来者的身份，态度却十分冷淡，他认为欧阳修不过是一个被贬降职的官员，可能只是徒负虚名，胸中不一定有什么大学问。

当小和尚把茶端上来后，欧阳修呷了一口，就向老僧打听泡茶之水的来源。老僧脸上立即显出得意的神色，答道："这水汲自本寺里面的一眼泉，历来被称为'天下第五泉'。"欧阳修听后，不以为然地问道："请问师父，说它是'天下第五泉'，不知有何依据？""这是唐人张又新说的。"老僧一边答道，一边找来张又新的《煎茶水记》，指给欧阳修看。谁知欧阳修不客气地将了老僧一军："张又新没有走遍天下，自然没有尝遍各地泉水，只凭想当然就把泉水分为七等，这种做法并不足取。"

随后，老僧又搬出了茶圣陆羽，说张又新是根据陆羽所说而写的。镇江金山寺中泠泉为第一，无锡惠山石泉为第二，苏州虎丘石泉为第三，丹阳县观音寺泉水为第四，扬州大明寺泉水为第五，松江水为第六，淮水为第七。茶圣之论，岂能有错。老僧语气坚定，很是自信。可没想到欧阳修仍穷追不舍，紧紧追问："师父，诚然张又新的话出自陆羽，那么，陆羽又是根据谁说的呢？"这个时候，老僧无言以对。

欧阳修十分认真地对僧人说："唐朝的天下，滔滔长江在南，滚滚黄河在北。河、湖、泉、井不可计数。陆羽、张又新没有走过几州几府，他们所评说的七泉只限于东南一隅，谁能保证除此之外，长城内外、黄河上下、天府四川、苍茫楚地，再没有好水？陆、张两位并没有品遍天下之水，就轻率地下此结论，这又如何可信？"他又说，凡事都要调查实证，寻根求源，不可人云亦云，拾人牙慧。这一说法入情入理，让老和尚心悦诚服，尤为钦佩。

从大明寺告别僧人回到府里，欧阳修当天就写了《大明寺泉小记》一文。文中赞美了大明寺泉水"为水之美者也"，但并未冠之以"天下"，也没有说属于何等。文章写好后，就派人送给大明寺老僧，请他指正。老僧阅读后佩服不已，从此和欧阳修结成好友，来往甚密。大明寺的泉水，的确是清澈甘洌的宜茶好水。老僧虽然还是常向人们介绍，但不再说这里是天下第五泉了。这一传说一直流传至今，但人们仍沿用天下第五泉之说来称赞大明寺泉。

87. 安宁温泉的传说

水
文
化
教
育
丛
书

云南安宁温泉，古称碧玉泉，位于昆明西郊。晶莹的池水宛若碧玉磨成的明镜，银光闪闪的水泡从池底不断往上冒。前人把它称之为碧玉泉，再贴切不过了。

安宁温泉历史悠久，按照泉池石壁记载，这眼泉形成于公元 56 年，在泉眼附近的史龙寺碑上也有记载。与碑记相呼应的是当地流传着的一个动人的传说。

相传，苏文达随伏波将军南征作战得胜后，便班师回朝。经过此地时，部下将士突然得了一种不知名的传染病，被迫驻扎下来。驻扎营地恰巧是新罗邑国（古代安宁县）所在地。一天，苏文达心情忧郁地到军营外散心，被新罗邑国公主阿树罗看见，公主十分喜欢他，于是欣然邀请他上龙山打猎。苏文达也对公主一见钟情，两人便私定终身。阿树罗喜出望外，可苏文达却总是高兴不起来。

公主问他为什么，苏文达说："我所率部队途经此地，染上瘴气，军中将士大半命在旦夕，如此下去，我怎能向朝廷交差？"阿树罗公主听罢，哈哈大笑说："原来如此！将军，你这人真怪，驻扎在我父王的土地上，这些事为何不告诉我们呢？我知道，许多外乡人初赴此地常染瘴气。不过，在这块宝地上有一处碧玉泉，病人一经洗浴，瘴气即刻全消。"

苏文达听后，喜出望外。当即询问阿树罗公主碧玉泉在哪里，公主用手

一指，只见那峡川岩壁处，白气蒸腾，袅袅萦绕。苏文达拉着公主奔向那里，便看见在荒荆蔓草之中喷涌着许多清亮暖热的泉水，随即沐浴，顿感舒适至极。受瘴气染疾的军士们也随后入浴，果然瘴气全消，神采焕发。不久，苏文达与阿树罗公主成婚。全军上下为其祝福，众口称颂阿树罗公主与苏文达将军的爱情如碧玉般的温泉一般纯洁、和美，被传为佳话。

　　温泉水自螳螂川峡谷东岸的石灰岩壁下涌出，较大的天然泉眼有 9 处，每昼夜涌水量为 1 000 余吨，最大时可达 1 万吨左右。泉水清澈、透明，水质柔滑优良，属弱碳酸盐型温矿泉水，水温在 $40\sim45℃$，可浴可饮。此水浴则可治多种疾病，尤其对皮肤病、关节炎和慢性胃病患者疗效甚佳；饮则可沏茶煮茗，其味温醇可口，风味独特。故明代学者杨慎评价此泉水"不可不饮"。

水
文
化
教
育
丛
书

88. 杭州玉泉的由来

位于仙姑山北青芝坞口的杭州玉泉,旧有寺庙,名清涟寺,又名玉泉寺。

关于玉泉,民间有则动人的传说。据说在很久以前,钱塘江口有一条深不见底的"天开河",河中住着一条正直勇敢而又本领无比的草龙。一天,有一条官船押着两条大船从钱塘江口经过,大船中不时传出阵阵凄惨的哭声。草龙从探卒的回报中得知,原来是官府强抓穷苦百姓,正押往京城去做苦工,于是,怒火中烧,翻起一个大浪头,掀翻了官船,救出了两船百姓。接着,草龙驾起乌云直奔京城,闯进皇宫。正当它伸出龙爪想要扑抓昏君的时候,一个太监从暗处向它射来一箭,正好射中它的右眼。草龙疼痛万分,只好退回天开河,发誓要报此血仇。

那时,杭州清涟寺里住着一位医术高明的老和尚。于是草龙变成一位

黑脸大汉前去求医。老和尚见这位黑脸大汉右眼鲜血淋漓，为刀创所致，便心存疑惑。经过他的巧妙盘问，草龙终于说出真情，并流露出眼伤治愈后要去复仇的急切心情。没有想到，这老和尚住的寺院正是昏君赐金建造的。老和尚想要报答皇恩，又怕自己不是草龙的对手，于是想出了一条奸计，假意对草龙说："如果我治好了你的眼伤，你拿什么来谢我呢?"草龙说："只要你能治好我的眼睛，你要什么我都给你，即使你要东海明珠，我也给你弄来。"老和尚说："刚好本寺缺水，你就先替我钻个泉眼吧。"

草龙不知是老和尚的计谋，翻身钻入泥中，眨眼间，清泉从洞口涌出。草龙越钻越深，泉水也越涌越大。就在这时，老和尚将佛前供奉的玲珑石移过来，狠心地扣压在泉眼上。这样，草龙就永远被镇压在地下了，而清涟寺却多了一眼千古不涸的清泉。民间传说中还说古珍珠泉是草龙的左眼化成的，晴空细雨泉是草龙的右眼化成的。

虎跑泉、龙井泉、玉泉是西湖三大名泉，如果说虎跑泉和龙井泉水能够饱人口福，那么玉泉就能饱人眼福了。"湛湛玉泉色，悠悠浮云身。闲心对定水，清净两无尘。"这是白居易在任杭州刺史时，对玉泉的赞美。可见，玉泉名胜称誉于世，已有千余年的历史了。

89. 水火同生泉的传说

水文化教育丛书

在台湾关子岭温泉区，有一处奇怪的温泉，乍一看让人目瞪口呆：只见从一巨石裂缝中，同时喷出一股火焰和一股泉水，落在前面一个湾子里，水汽伴着火焰不断地在水面上腾起，发出咕噜咕噜的声音，令人望而却步。泉水的温度很高，甚至可以煮熟鸡蛋。这就是关子岭著名的水火同生泉。

水和火本是不相容的，而此处的温泉，却又有水又有火，而且相克相生，由此便产生了一个美丽的传说。

从前，关子岭一带流行一种疾病，折磨得人们卧床不起，导致田野荒芜，没有五谷祭祀天神和海神，于是天神和海神就怪罪下来。天神从天上派下来一条火龙飞到这一带上空，往下喷火，想烧死这一带生灵；海神从海里派出一条水龙飞到这一带上空，往下喷水，想淹死这一带生灵。可是没有想到，火龙喷下的火，被水龙喷下的水浇灭了；水龙喷下的水，被火龙喷下的火烧干了。于是，这两条水火不相容的龙就在空中打起架来。

火龙和水龙在空中整整打了三天三夜，搅得天昏地暗。同时它们各自的身上都受了伤，并且伤势越来越重，渐渐地支持不住，双双从空中坠落下

来。那巨大的身躯落在地上把地砸了一个大坑。它们喘息着，怎么也挣扎不起来。

　　地上躺着两条龙的消息传开后，附近村寨有几个病得不太重的村民跑过来看。大伙看到威风凛凛的龙成了这个样子很是奇怪，再看它们奄奄一息的样子又有些可怜，于是村民们就用树枝为两条龙遮荫，还轮流用芭蕉扇给它们扇风、驱赶蚊蝇。不久，两条龙的伤势渐渐有所好转，它们试图飞起来，但试了好几次都没成功。这时，有个身上长着毒疮的老阿爸说："是龙，总是要飞的，听说龙能借着烟火气飞腾，咱们也试试看吧！"于是，大伙拖着虚弱的身体砍了一些树木，放在大土坑四周，点着了火。顿时，大土坑四周烟火升腾起来。两条龙借着烟火果然离开地面，腾空而起。

　　火龙和水龙被这些善良人们的所作所为感动了。火龙再也不往下面喷火了，水龙再也不往下面喷水了。两条龙一商量，决定留下来，为这些好心肠的人做些好事。于是，它们又双双落下来，钻进了关子岭中。水龙轻轻地往外喷出一股清凉的泉水，火龙紧靠在水龙的身旁，顺着水龙喷水的岩石缝，轻轻地喷出一股火焰，把水龙喷出的那股水烧热，落在山脚前那个大坑里，汇成一湾热气腾腾的温泉。那个身上生毒疮的老阿爸跳进这湾泉水中，温暖的水流立刻把他身上的毒疮治好了。附近许多患病的人也都来这里沐浴，沐浴后身上立刻清爽起来。很快人们又能下地干活了，大地上又有了生机和活力。

　　这个传说为这一自然景观注入了许多美好的想象。其实，这是一个处于火山带上的温泉产生的自然现象，那股火是地下可燃气体从岩缝里钻出后燃起来的。

水文化教育丛书

90.珍珠泉的传说

珍珠泉位于慕田峪长城西山的桃花峪村，泉水清澈晶莹，泉池中不断冒出透明的水珠，就像一颗颗晶亮的珍珠。关于珍珠泉，当地流传着一个动人的传说。

相传在很古的时候，这里所住的百姓本无水可饮。人们用水，需要翻山越岭，到很远的地方人背畜驮。

有一年春季，时逢大旱，山上山下寸草不生，百姓种的庄稼都被旱死，秋天将颗粒无收。人们遇到这样罕见的旱情，又无水可浇，个个仰天长叹。百姓没有办法，只得焚香祭供，求助于神灵。

一天，一位衣衫褴褛的讨饭老妇来到村里。老妇蓬头垢面，走路颤颤巍巍。她进村以后，敲响手中的打狗木棍，乞人施舍一点残羹剩饭。桃花峪村的人心肠都很好。大家虽然腹饥无食，但又不忍心看着讨饭的老妇空手而去。于是，全村人便东集西凑，终于攒得一碗杂七杂八的剩菜汤，送与老妇充饥。老妇当即跪在地上，拱手作揖，磕头感谢。百姓们见状，赶忙将老妇搀扶起来，说道："你我本都是苦命之人。眼下这里天旱如火，又滴水难寻，实在无能为力。如果不是这样，我们一定留下你，赡养终年。唉，像这样打发你，我们真是于心难忍呀！"老妇听罢，连忙摆手回答道："你们本是我的救命大恩人，我无以回报，只有一颗珠子。老妇我是个行将就木之人，留着也

没用，就送给你们吧。"老人说完，就从怀里掏出一颗珍珠送给百姓，然后便转身而去，一边走一边念道："土埋珍珠，水绕房屋。土埋珍珠，水绕房屋。"人们拿着这颗珠子，正不知有何用处，忽然听见老妇念念之词，恍然大悟，高兴地嚷道："这是个宝贝，老妇原来是个仙人呀！"不过等到人们再望，老妇早已无影无踪了。

百姓立即按老妇所言，将珍珠埋于土内。顿时，一股泉水破土而出，而且冒出的泉水，如粒粒珍珠。从此，附近百姓便靠此泉为生，年年风调雨顺，衣食无忧。后来，人们就把这眼泉称为珍珠泉了。

91. 霍泉的传说

　　霍泉，位于山西洪洞广胜寺山麓，是我国名泉之一。历来，人们都将它称为广胜寺一"宝"，而关于它的传说，也十分有趣。

　　相传很久以前，广胜寺的山底压着一条蛟龙。这条龙是霍山神将其降伏的。霍山神本是一只大鹏鸟。很古很古的时候，霍山一带原是一片海洋，大鹏鸟就栖息在这里。后来，这里发生了地变，海水慢慢退了下去，鱼鳖虾蟹越来越少，大鹏鸟子孙缺少食物，生命受到了严重威胁。一天，大鹏展翅去远方寻找食物，可当它回来时，这里的海却不见了，变成了高高凸起的石头山。石山上喷出了炽热的岩浆，烧死了它的鸟子鸟孙。大鹏鸟十分明白水的珍贵——这里没了水，连它自己的性命也难保全。它忍着巨大的悲痛，在石头山四周飞来飞去，想找到能使自己活命的"水"。

　　当它飞到大山南面的稍低处时，忽然发现一条气喘吁吁的青龙，被巨大的山脉压住。这条青龙，头朝西，尾巴伸向东面老远老远的水边。由于火山的爆发，龙被烤炙得疼痛难忍。但为了生存，青龙蠕动着全身，拼命地挣向东海。因为龙尾巴已探进海水里，所以它浑身还是湿淋淋的，龙嘴里不停地吐出水花。大鹏看到此情此景，急忙在空中叫喊起来："老龙，别走了，你一走，我也会渴死的！"

　　青龙说："不是我不愿在此生活，实在是这里太热了，再说龙怎么能离开水呢？"

　　"老龙，你我一向是老朋友，我劝你还是留在这里，与我同呼吸共命运吧！"

　　谁知，青龙根本不听大鹏的劝告，继续蠕动着身子。大鹏心里非常着急，于是它从别处搬了一块大石头，压在了青龙身上。从此，这条龙再也不能蠕动了。不过这条龙并没有死，它凭着尾巴浸入东海汲水，艰难地活着，有时还将肚里多余的水吐出几滴，滋润着大石山前面的不少生灵。大鹏也靠着青龙吐出的几滴水，继续生存，生儿育女，不过光靠龙吐的水仍然不够

大鹏成群结队的子孙饮用。每逢雨季到来时，一队一伙的鹏鸟总要借天雨弥补饮水的不足——它们跃飞于狂风暴雨之中，盘旋在大石山周围……这种在雨中有规律出现的生禽，人们称其为"雨鸟"，并把生养雨鸟的石头山，叫作"雨鸟山"。后来，造字的人根据其意，创造了"霍"字，就改雨鸟山为"霍山"了。

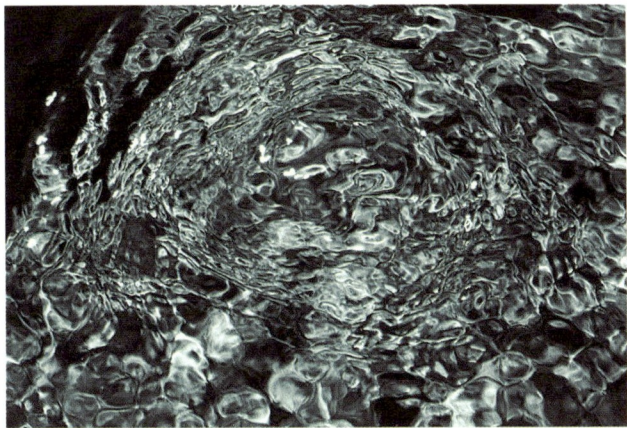

又不知过了多少年，霍山南麓建起了一座佛寺，寺院四周，翠柏环绕，瑞气升腾。相传，山上埋了个"聚宝盆"。一天，一大群雨鸟来山下青龙口处喝水，听说山上埋着宝贝，就纷纷飞去看个究竟。一只雏鸟性急，用爪子在山上抓挠起来。结果，它没有抓到什么宝贝，只刨出一只破盆子来。好奇的雏鸟很有心计，它想，不如将破盆衔到老龙嘴边，接一盆水，这样喝水就方便多了。于是，它就紧紧地咬住盆沿，"扑棱"一声跃向空中，朝龙口飞去。当飞翔至龙口上方时，雏鸟因为过于激动，忘记了口里衔着东西，竟叫起了老龙。没有想到，它刚一张口，破盆就掉下去，刚好落在了龙口滴水处。盆子被摔成了好几片——突然，"哗……"、"哗……"龙嘴里泛出了一股股的流水。接着，四周的地缝里也都往外冒水。刹那间，股股清水，汇成了一汪水潭，向远方流去。

相传，雏鸟叼的正是广胜寺山里的聚宝盆。这只聚宝盆只要盛上一样东西，就会有取之不尽、用之不绝的无穷威力，所以龙嘴里的水也就永远吐不完了。即使是在龙口周围的石缝里，也有水永无休止地向外吐出，这是聚宝盆碎片在那里的缘故。现在，霍泉源头有四五股主泉和无数个小泉眼，主泉眼处正是盆子的最大碎片。这就是传说中的霍泉的来历。

193

92. 雪泉的传说

雪泉，位于阿尔卑斯山脉东南区锡斯尔小镇附近。

当地人传说在古希腊神话时代，泉水女神尼柔斯最宠爱的小女儿菲碧在一次战乱中流落人间，历尽苦难。菲碧美丽善良，同情并帮助生活贫苦的人民，因此百姓都十分喜爱她。有一天，战神亚瑞斯的第二个儿子帕耳忒率领军队经过锡斯尔小城镇，偶遇菲碧，两人一见钟情，坠入爱河，互托终身，并相约第二年 2 月 10 日，于阿尔卑斯山脉之巅重逢。不幸的是，帕耳忒在一次战斗中遭遇邪恶之神赫卡忒，英勇战死。临死之前，他遥望心爱之人菲碧所在的方向，一时间，山体雷动，普降大雪，积雪深达数米，终年不化。菲碧自从有了心上人之后，每天一边干活，一边唱歌，生活得很开心。人们看在眼里，都为她高兴。菲碧想，明年见到帕耳忒，要送他一个礼物，给他一个惊喜。于是，她采集了许多的羊绒，白天纺线，晚上织衣，一天又一天，一月又一月，终于织成了既厚实又漂亮的毛衣。她想像着，帕耳忒如果穿上这件毛衣，一定好看极了。第二年 2 月 10 日，天还没有亮，菲碧穿上了最好看的衣服，带上亲手织成的羊绒毛衣，早早地出发了。可怜的菲碧站在阿尔卑斯山脉之巅，苦盼心上人的到来，然而最终还是未能如愿。在得知帕耳忒战死沙场的消息后，菲碧痛苦万分。她哭喊着帕耳忒的名字，把毛衣扯成碎片，洒入山谷。同时，她的悲痛之泪滴在积雪上，形成了一汪温泉。

特别神奇的是这一汪温泉终年不竭，源源不断，而且在白雪皑皑的山脉中，永不结冰，泉水温度始终保持在32.5度。后来人们为纪念这位痴情女神凄美的爱情，把这雪中的温泉取名为"雪泉"。居住在雪泉附近的小镇妇女，取泉水沐浴后肌肤宛如少女，莹白如雪。

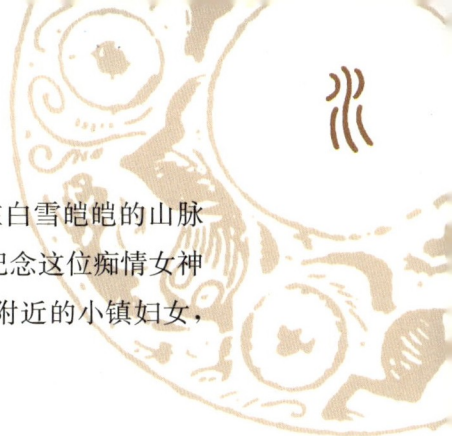

93. 黑龙泉的故事

　　在距满洲里东北方向20多千米的东湖生态旅游区,有一泓日夜喷涌不止的泉水,名为黑龙泉。泉水清洌甘甜,沁人心脾,具有强身祛病的功效。

　　相传很久以前,这里是一片风光秀丽的草原,二子湖犹如一颗蓝色的宝石镶嵌在广袤的草原上,依偎着二子山静静地流淌,滋润着沿岸万物。湖边的草原上,生活着勤劳、勇敢的蒙古族游牧部落。

　　然而,不幸突然降临到了草原。呼伦湖里的黑龙王听信谗言,以这里的牧民供奉的牛羊、皮毛不丰厚而震怒,下令让草原大旱三年,以示惩戒。一些老人虔诚地烧香祈祷,然而灾情一天比一天严重,就连昔日浩瀚的二子湖也干涸见了底,到处是牧民悲惨的哭泣声。这时,黑龙王心地善良的儿子小黑龙,看到因父亲的暴虐而使草原生灵涂炭,便下定决心要解救草原上的人们。一天,黑龙王外出云游四海,小黑龙乘机兴风播雨。雷声隆隆,乌云滚滚,大雨如注。干旱的草原得救了,牧民们纷纷涌出蒙古包,跪倒在草原上感谢小黑龙播洒的及时雨。大雨下了一天一夜,使草原恢复了生机。

　　黑龙王回来后,听到小黑龙私自降雨的消息后,火冒三丈,龙颜大怒。他抓来小黑龙,杖责二百,发配民间再也不允许其返回龙宫。小黑龙被打得奄奄一息,虾兵蟹将又将他扔到了草原上。

这是一个漆黑的夜晚，伸手不见五指，早已入睡的其其格姑娘突然被阵阵牧羊犬的狂吠声惊醒。她提着油灯走出蒙古包一路巡视，看到有一个血肉模糊的人躺在草原上。其其格急忙喊来阿妈，把这个人抬到蒙古包里。其其格和阿妈急忙烧水为小黑龙清洗伤口，又拿出草药敷在伤口上。经过其其格三个月的精心护理，小黑龙的身体逐渐恢复了健康。他非常感谢其其格一家的救命之恩，并把自己的身世悄悄地告诉了其其格。其其格给小黑龙起了一个蒙古族名字：巴特尔，意为英雄。每天早晨，巴特尔和其其格一起到草原上放牧，日落西山时，他们赶着羊群回家，生活简单而自在。

日子一天天过去，草原上的旱情又一天天严重起来。怎样才能使乡亲们度过难关呢？一天，其其格和巴特尔在二子山脚下放牧时，发现一处低洼的地方草长得特别茂盛，巴特尔眼睛一亮，对其其格说："这里一定有水，咱们挖井取水吧！"其其格点头赞同，乡亲们也都来帮忙，大家奋力挖了一个多月，终于有泉水喷涌而出。乡亲们把巴特尔抬起来围着清泉绕了三圈，感谢他挽救了草原。

后来，人们把这眼泉称为"黑龙泉"，以此纪念小黑龙。因泉水可治病，牧民们又把黑龙泉称为"神泉"。

94. 暖泉的传说

上山砍柴，下河担水，这是谁都知道的常识。可是，在陕西黄陵县桥山却不是这样，吃水必须上山担，因为泉水都在山上。

这究竟是为什么呢？传说这还是黄帝和龙王当初给桥山人民带来的恩惠。

轩辕庙对面有条小山沟，名叫暖泉沟。当年这座小山人烟荒芜，自从黄帝定居桥国后，沟里才住上了人。这条沟的半山腰有一池泉水，部落联盟的首领和附近群民，常年吃用这里的泉水。有一年，黄帝正妃嫘祖因常年养蚕、抽丝、制作衣服，劳累过度，卧床不起。人在病中不免产生思乡之情。嫘祖是白水县人，她很想再能喝到家乡的泉水，因为那里的泉水清澈、甘美，具有健身提神之功效。这可把伺候嫘祖的人难住了。从白水步行到桥国，往返一次最快也得四天四夜。为了不使嫘祖失望，黄帝派应龙带上尖底瓶到白水取泉水。这消息不知怎么被桥国的群民知道了，因嫘祖养蚕为民造福，所以桥国群民都很感激和爱戴她。于是人们决心要尽一切努力让嫘祖在病中能喝到家乡泉水。经过商议，大家决定在桥国和白水之间开挖一条水渠，把白水的泉水引到桥国。群民瞒着黄帝，不分男女老幼，都自愿投入了开渠劳动。龙王得知此事后，大为感动。为了帮助桥国群民早日实现开渠引水的愿望，龙王用爪一划，就把白水到桥国的地下水渠开通了。可是这个秘密谁也不知道。

应龙从白水把泉水取回后，嫘祖只喝了一瓶，病情很快就好转了。剩下的另一瓶白水泉水，嫘祖让应龙倒进桥国半山上的泉池里去。从这以后，桥国泉水的味道也变得和白水泉水一模一样了。更使人惊奇的是，桥国泉水不但日夜涌流，而且还变得冬暖夏凉，所以人们把它称作"暖泉"。

过了很多朝代后，这里出了一个大恶霸，名叫艾半川。他凭着自己有钱有势，把川地全部霸占，又把群民统统赶上了山。然而，他还不满足，把暖泉水也霸占了。他平时吃暖泉水，冬天还用暖泉水洗澡，其他群民如果谁偷汲了暖泉水，一旦被艾半川发现，就会被活活打死。居住在山上的群民常年吃不到泉水，对艾半川恨之入骨，却没办法治他。

时间一长，此事不知怎么被玉皇大帝知道了，便派陈抟老祖下凡查询。陈抟老祖经过一番查访后，回到天宫向玉皇大帝报以实情。玉帝听罢大怒，连夜降旨让龙王把暖泉水调向山山峁峁、沟沟岔岔，供群民饮用。龙王得令后立即截断艾半川家暖泉的水源，把水调给周围三十里以内的山峁沟岔，因而就出现了史册上均有记载的阳武泉、普照泉、上善泉、一线泉、车移泉、寒泉、滴珠泉、柳窟泉和寒酒泉等十大名泉。从此，黄陵县的山峁沟岔都有了泉水，既可灌溉山地，又能供人畜饮用。当年被艾半川赶上山的群民，都纷纷搬回山下居住，耕种河川地，修建新住宅，又过上丰衣足食的日子。但山上的那些泉水却无法搬迁。因此，桥山人想吃泉水还得上山去担。

95. 中泠泉的传说

中泠泉位于江苏省镇江市金山寺以西约 500 米的石弹山下。有关中泠泉，在当地有一段动人的民间传说。

相传，大江中居住着一条长着三只眼睛的蛟龙，名叫三眼蛟。他与白蛇娘子同时修炼，结为道友。有一天，江水中突然出现一枝金钗，紧接着又见一面绣着水波纹的令旗，三眼蛟一看便知，这是仙人命令他推波助澜的信号。于是他立即呼唤虾兵蟹将涨水。待水涨高后，三眼蛟露头一看，只见白蛇娘子和小青蛇正在与金山寺里的法海和尚恶斗。他忙派去一名虾兵前去探查，虾兵探得消息回报，说是白蛇娘子得千年道行后，在天上受南极仙翁指点，下凡与书生许仙匹配成婚。这一对伉俪本来生活得很幸福，谁知好事多磨，遭到法海和尚的破坏，把许仙骗到寺内软禁起来。这场恶斗，正是白娘子在逼法海和尚交出许仙。

三眼蛟知道法海的底细。原来在三眼蛟和白娘子修行时，法海不过是一只乌龟精。那天他们都在江水中游玩，远远听见了吕洞宾叫卖汤圆的声音。这时，一个小孩吃了汤圆入不了肚，只好吐到江中，恰巧落进白蛇嘴里。乌龟精知道汤圆是吕洞宾的仙丸，硬要白蛇吐出来。已经吃进肚里的东西怎能吐出来呢？从此以后，乌龟精恨死了白蛇娘子。他趁白蛇上天之后，也上了岸，爬到如来佛佛座下面，偷听经文去了。后来又混到镇江金山寺当起了长老和尚。

三眼蛟获知真情后,决定帮助白蛇娘子救出她可怜的丈夫。他把大水推动得如排山倒海一般,眼看滔天波浪就要淹到金山寺门了。突然间,惊慌的法海和尚将披在身上的袈裟脱下,往寺门外一遮,忽地一道金光闪过,袈裟变成了一堵环寺的围堤,将大水拦在了堤外。奇怪的是,大水涨高一尺,围堤也长高一尺,大水涨高一丈,围堤也长高一丈,任凭三眼蛟施展浑身解数,大水就是漫不进围堤。

　　法海和尚的袈裟何以有这般神力?原来有一次,如来佛讲经歇息,不觉瞌睡起来,乌龟精趁机偷走了他的三件宝物,其中之一就是这件袈裟。既然是西天如来的法物,自然是法力无边了。三眼蛟无可奈何,这时身怀六甲的白蛇娘子也退下阵来。白蛇娘子退阵,三眼蛟护后。可是,法海和尚追将上来,用锡杖将三眼蛟钩进了围堤。不久,白蛇娘子又被法海和尚用偷来的金钵收进,镇压在杭州雷峰塔下。被俘的三眼蛟悲愤至极,他那三只与肠胃相通的眼睛连同身子一起都化成了三个喷水的泉眼。因中眼最大,悲愤的泪水最多,喷出的泉水也最大。所以,人们便将此泉称作中泠泉。

96. 承天氡温泉的传说

浙江泰顺的承天氡温泉，有个很有趣的传说。

相传，古时庐山上有座仙人庙，住着许多仙人，最老的一位仙人叫庐山仙母。她有一块鹅卵般大的仙玉石，一浸到水里，水就发热。用那热水洗浴，能治百病，延年益寿。因此一年到头，来讨玉石仙水的人很多，庐山仙母都肯送给他们。

某天，有个黑心和尚也上山讨要仙水。他讨了一钵仙水，擦擦身体，疮好疤落，筋骨宽松，全身有了精神，心中大喜，就东转转，西逛逛，熬到半夜，三拐两弯钻进仙人庙，摸进房里，偷了庐山仙母的仙玉石，慌慌张张地逃下山去。他逃了21天，逃到浙江泰顺承天这个地方，在象鼻山脚住了下来。

水文化教育丛书

黑心和尚在象鼻山脚下造了座象鼻山寺，在寺里挖个水池，把仙玉浸在水池里，池水就热气腾腾变成"仙水"啦。官家和财主来要水，他用化缘的办法"敲竹杠"；平民百姓生病来讨水，他敲骨吸髓，把人钱财弄光才会甘心。无钱的，他连半滴也不给。黑心和尚还养了许多打手，欺侮百姓，抢田占地，强夺民女。黎民百姓把黑心和尚都恨死了。

象鼻山上有个姓季的铁匠，力气大，智谋多，大家求他想办法除掉黑心和尚。季铁匠说："单竹不成排，要靠大家呵。大家听我锣声，一起去杀。"季铁匠把计策一讲，大家都一致赞同。

八月十五中秋节，夜里起雾啦，山雾浓浓，对面都看不见人。突然一阵

铜锣响,象鼻山寺起火啦。大家晓得季铁匠已杀进象鼻山寺,就点起火把,拿着柴刀、猎枪、斧头、扁担冲出家门。一个接一个,一村连一村,四面山上,冲出无数条"火龙"。火光红了半片天,"神兵天将"来啦;黑雾茫茫,布下天罗地网啦。四面八方喊声震天动地,黑心和尚吓得魂飞魄散,他的打手呢,也早已逃得无影无踪了。

季铁匠的铜锣越敲越紧,众乡亲的"火龙"越冲越近,黑心和尚想想赶紧逃吧,就从水池里捞起仙玉石,披件袈裟,从后门溜了出去。他拼命逃呀逃呀,一阵山风吹来,把黑心和尚摔了个大跟头,袈裟吹进溪坑,沉到深潭里去了,仙玉石也丢啦。他赶紧去摸仙玉石。这时,四面八方的喊声吓得他屁滚尿流,拼命向溪坑边岩石夹缝里钻。

愤怒的乡亲们一把火把象鼻山寺烧了。黑心和尚钻在岩石夹缝里,变成了一只小山蟹。蟹壳是他的脸,被岩石夹得凹凸不平的。他从此不敢见人,一直到现在还是躲在阴暗角落里。有时在里头受不了,就乘着黑夜偷偷爬到溪坑里透透气,一听见有些动静,又慌慌张张逃到岩石夹缝里去。

黑心和尚丢落袈裟的那个深潭,大家叫它"袈裟潭"。

那一块仙玉石呢,也掉进袈裟潭里去了。潭里的热水,一年到头滚涌不尽,热气腾腾。潭底碧清,水波潋潋,据说用它洗浴能治百病,可长命百岁。

97·峨眉山玉液泉的由来

峨眉山上分布着众多的流泉飞瀑,其中大峨寺神水阁前的玉液泉不仅以湛碧的秀色悦人,而且还以其绝奇的水品,被誉为峨眉神水"第一泉"。

玉液泉四周风光具有峨眉独特的清幽和深秀之美。其水品,古人有"饮水诧得仙"之说,认为此泉水不同寻常,故把它称之为神水,又名甘泉。一千多年来,在嶙峋石壁之中冒出来的这泓碧水,遇旱不涸,终年不竭,清澈明亮,光鉴照人。夏日用手一掬,冷气直透肌骨,喝下一口,只觉得涤肠荡胃,浊气下沉,清气上升,如饮琼浆玉液。因此以玉液名泉,是一点也不为过的。

关于峨眉神水"第一泉"称号的来由,也有一则民间故事。古时候这里有一个青年,勤劳朴实,每天不等太阳露面就起身出门耕种,一直要到日落西山、暮色深沉才回家。夜晚,他又借着月光秉烛苦读,夏去冬来,从不间断。他的勤奋好学精神,感动了天界的玉女,从瑶池中引来玉液,给他润喉解渴。青年人得了玉液的滋润,精力更加充沛旺盛,勤耕苦读,终于成为智者大师。后来智者大师离开峨眉山到荆州玉泉居住,好心肠的天上玉女又设法把峨眉山的玉液泉引到荆州,供智者大师饮用,所以有些书中有"神水通楚"之说。

峨眉山玉液泉的泉眼前，立有一块石碑，上面镌刻着唐宋以来苏东坡、黄庭坚等不少著名文人墨客赞咏玉液泉的诗文篇章。当代到峨眉山游览的名人，在神水阁品饮了用玉液泉烹沏的茶水后，也留下了不少墨宝，他们普遍认为用玉液泉水泡沏峨眉山茶，是"二美合碧瓯，殊胜馔群玉"。

98. 红石崖善泉的故事

　　相传，采凉山红石崖附近有个小村庄，村中住着一户人家，全家父母儿子三口人。但一家人赶上个连年干旱，父母双双饥渴而亡，只剩下了一个十五六岁的小伙子。

　　这一年天又大旱，村里人眼看就又要遭殃了，小伙子想起父母临死时的悲惨情景，不忍心眼睁睁再看着乡亲们一个个悲惨地死去，于是挑了两只木桶便进了山谷。他走了一沟又一沟，翻过一山又一山，从早晨一直找到太阳落山，历尽艰辛，却连个露珠儿也没见到。小伙子急了，坐在谷底大哭了起来，他越哭越伤心，越哭越悲恸。星星出来了，他在哭；月亮升起来了，他还在痛哭不止。哭着哭着，奔波了整整一天，连一口饭也没吃、一口水也没喝的他渐渐睡着了。

　　小伙子睡着了，但他还惦记着找水的事情，梦中仍在四处寻找水源。朦胧中，他来到了一块巨崖底下，只见巨崖高耸入云，红光四射，景致十分优美。他正在观看这四周景致时，忽见从沟壑深处走出一个花季小姑娘。姑娘与他年龄相仿，身着金黄色衣裤，手拿一束鲜花，连蹦带跳地来到崖下，一看就知是个进山游玩、摘花扑蝶的富家闺秀。小姑娘见了他也不说话，一弯腰挪开一块大石头，露出一洼清泉，趴下身子，"咕咚""咕咚"地喝了起来。小伙子好不眼馋，忙跑过来也想大口大口地喝几口。不料，姑娘并不谦让，自己喝完后就把大石头挪回了原处，把泉眼盖了起来。小伙子好不生气，一个激灵梦醒了。

　　小伙子梦醒，已是黎明时分，他再没了睡意，便又挑起空桶，迎着渐渐发亮的东方继续往山里走去。他边走边回味昨晚的梦境，便不知不觉地寻找起这块红色巨崖来了。走着走着，忽然眼前一亮，平时并不注意的这块巨崖，今日却十分鲜艳，在朝阳的辉映下，更是红光四射，灿烂耀眼，所有景致与梦中所见完全吻合。小伙子一激动，早忘了疲劳，几个箭步跑到巨崖下

面,使尽全身力气,将大石头挪开。石头一被挪开,下面果然露出一洼清泉。也是小伙子渴急了,他顾不上思考,便一头扎进泉中一口气喝了个满饱。等小伙子喝够了,再看那泉眼,仅有一个瓢大,坑内也只有一瓢水。这够谁吃?小伙子失望了。但这毕竟是千辛万苦才找到的水,不能空着桶回去,一点水就可能救活乡亲们一条命啊。想到这儿,小伙子取过木桶慢慢地舀了起来。舀一瓢,坑内还是一瓢的水,再舀一瓢,仍是一瓢的水,小伙子的两只木桶舀满了,坑内还是一瓢的水。小伙子又惊又喜,忙挑起水桶向村中跑去。

乡亲们听说小伙子找到了神泉,纷纷进山挑水,但不论有多少人,挑多少水,坑内永远是那么清澈甘洌、清凉可口的一瓢水,百姓再也不为没水而犯愁了。

消息越传越远。这年,刘邦十万大军被困"小白登"。刘邦听说红石崖南崖下有个神泉,便责成千军万马昼夜不停地轮班舀了七天七夜,但坑内始终是一瓢水,既不多,也不少。

有一天,小伙子又梦见了那位小姑娘,她说:"我是天上的龙女小金龙,犯了天条被打下凡间,为你们做好事赎罪来了。同我一起被打下来的还有我两个哥哥,他们也为你们做好事来了。你们从此再不必为水发愁了。"小伙子一梦惊醒,更觉得奇怪,遂直奔山崖下看有什么变化,结果发现不知什么时候起红石崖下又多了两股泉水。两股泉水顺沟流下,汇成溪流,一直流出大山,流到村庄,村里人再也不用去山里挑水了。后来,人们为了感激和纪念小金龙,便在南崖下建了一座庙。从此以后,只要遇到旱年,大山周围的人们都要上山祈雨,龙王庙有求必应,十分灵验。再后来,人们发现小金龙那眼泉水还能治病,不论病情有多重,只要向小金龙祈祷,喝一口泉水,病人就会神清气爽,所有疾病都能痊愈。所以,人们又为这眼泉起名为"善泉"。

99. 马跑泉的故事

山东省济南市广饶县丁庄镇王署埠村西北角,地势低平,河沟密布,一条暗河从地表下东西穿过,形成了广饶北部一处独具特色的风景点——马跑泉。

民间传说,唐太宗李世民亲率三军自西京长安出发东征,历尽千辛万苦到达此地。由于这里东濒大海,地势平坦,离"唐头营"只有20里,唐太宗便下令大军扎营休息,准备乘船东渡。当时已是盛夏节气,人困马乏,饥渴交加,将士们急忙挖井取水,埋锅造饭。他们在不同地点挖了几十口井,然而取出的水都苦涩难饮。别说人不能喝,就连牲畜也闻而却步,李世民焦急万分。

正在这时,他的坐骑一声长嘶,后腿直立,前蹄不停地刨地。就在这匹战马悬空着的两蹄落地时,由于冲击力较大,一蹄陷入了土中。战马受惊再次跃起,跑了出去。然而就在马蹄踏过的地方,奇迹发生了,深陷的马蹄坑内,一股清泉"汩汩"涌出。泉水甘洌,兵士们取之不尽,士气大振。这泉水救了唐太宗的急,唐太宗遂命名此泉为"马跑泉"。他以为这是上苍恩赐,就下令在此修筑行宫,建造了码头。

此泉附近气候宜人,唐太宗看中了这个地方,常来此避暑。所以人们就

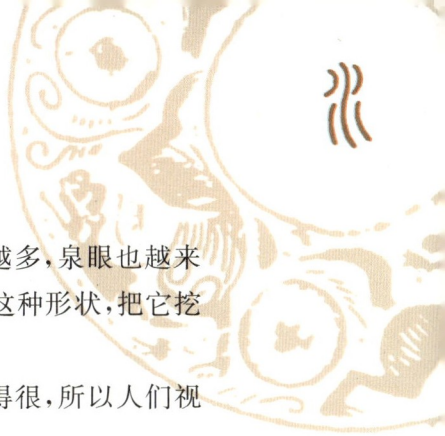

把此地称为"王暑埠"。

说来也怪,随着泉水不断地涌出,前来取水的人越来越多,泉眼也越来越大,但是它的形状始终是马蹄形的。后来有人想改变它这种形状,把它挖成过方形或圆形,但是一夜间它又恢复了马蹄形。

马跑泉长涌不息,泉水清爽甘洌,而周围之水却苦涩得很,所以人们视此泉为神泉。

100. 世罕泉的传说

提起天然苏打水，在黑龙江克东宝泉流传着这样一个传说。

据说，在八百多年前的金代，海陵王皇帝身患一种怪病，浑身乏力、口干舌燥。眼看皇帝日渐消瘦，太医却想不出法子医治。一日，皇帝忽想起太乙道鼻祖萧抱珍，便下一道圣旨到距京城百里开外的松峰山太虚洞。

萧抱珍接到圣旨后，星夜赶到上京，为皇帝诊病。他看过太医开的秘方后说："药补不如食补，食补不如水补。水似药又不是药，水是万药之王。要想龙体安康，向北寻找宝泉。"

于是，皇帝下旨派蒲峪路籍女真族英雄曷懒路兵马都总管仆散浑坦前往北部寻宝水。此人便是金史中唯一明确记载的与岳飞直接交过锋的人物。

仆散浑坦率众人向北进发，寻找宝泉。当行至明水时，见这里江山清秀，泉水清澈，便取水派人送到上京。皇帝饮后几日，没见效果。仆散浑坦率部又向北进，在通泉、兴泉取水，皇帝饮后仍不见效。他又向北进，发现一眼泉，仆散浑坦见此泉很有龙缘，便起名龙泉，星夜将水送到上京，但皇帝饮后仍不见效果。

他们仍不灰心，继续北上，到了拜泉后，向天地发誓，不寻到宝泉死不瞑目。众人在此隆重举行祭天仪式，请天地赐恩，尽早寻到宝泉。

而后,寻宝泉大军军心大振,继续北行。他们终于来到了宝泉地面,发现这里泉水众多,清亮无比,口感发滑,略有甜味,而且多喝不胀肚,食欲大增。经过考察,这里的住民耳聪目明,体魄强壮,没有得怪病的。当地人还介绍说用这水做饭既"喧腾"又香味四溢,做粥不用放碱,粥的形、味是其他地方无法比拟的,众人惊呼此水乃是"神水"。他们立即将"神水"送往上京,皇帝饮用十几天后,身体不乏了,口不干燥了,消瘦的身体慢慢恢复如常。

　　以后,人们称它为"天下第一泉"、"皇泉"、"宝泉"。

　　距离宝泉镇不远,考古学家发现了蒲峪路古城遗址。自金代海陵王设置节度使至金灭亡的48年中,蒲峪路先后任用了六位节度使,他们均出自于女真族。在这里最值得一提的是,土生土长的金代蒲峪路籍杰出的女真族英雄曷懒路兵马都总管仆散浑坦。也有人称统管三千里江山的仆散浑坦是罕王,世罕泉的名称就来自于这一传说。

参 考 文 献

1. 中国长江航运集团. 中国长江文化大系[M]. 武汉:中国言实出版社,武汉出版社,2008.
2. 高峻. 中国生态旅游——走进大自然. 上海:上海科学普及出版社,2001.
3. 李立玮. 梦幻旅游(人文卷)——人文与浪漫的知性之旅. 西安:陕西师范大学出版社,2004.
4. 赵谷怀,唐麒. 世界神话故事总集. 欧洲美洲卷. 北京:时代文艺出版社,2004.
5. 赵谷怀,唐麒. 世界神话故事总集. 亚洲非洲卷. 北京:时代文艺出版社,2004.
6. 靳怀堾. 中国文化与水. 武汉:长江出版社,2005.
7. 香若寒梅. 亚龙湾的故事传说. 九龙网,2008.
8. Ugih, Kbjkn. 小龙王造西海的故事. 百酷网,2007.

「后记」

　　为了弘扬中国传统文化，挖掘发展中华水文化，河海大学结合自身的办学特色，在开展水文化研究的基础上，组织编写了《水文化教育丛书》。丛书的根本要旨，在于通过水文化知识的普及和教育，提高人们对水的战略地位的认识，以带动全社会水意识的觉醒和提升；教育人们树立科学发展的水利观，以增强对水的忧患意识；培养人们爱水、节水、护水、亲水的情怀，以养成良好的水文化行为习惯；帮助人们提升水利工程建设中的文化自觉性，以确立人水和谐的科学发展理念。

　　《丛书》分为10个分册，分别为：《100条江河湖泊》，主编：吴胜兴，副主编：顾圣平、贺军；《100座城市与水》，主编：郑大俊，副主编：刘兴平、钱恂熊；《100项水工程》，主编：吴胜兴，副主编：沈长松、孙学智；《100例水灾害》，主编：颜素珍，副主编：唐德善、汤鸣鸿；《100位水利名人》，主编：王如高，副主编：刘春田、陈家洋；《100首水歌曲》，主编：蔡正林，副主编：刘兴平、沈俐；《100种水用具》，主编：王培君，副主编：戴玉珍、贺杨夏子；《100处水景观》，主编：蒲晓东，副主编：张彦德、潘云涛；《100篇咏水诗文》，主编：尉天骄，副主编：林一顺；《100个水传说》，主编：张建民，副主编：莫小曼、郑如鑫。

　　《丛书》封面上"水文化"三个字由水利部原副部长敬正书同志题写。在《丛书》的编写过程中，为了充分反映不同时期有关水文化的经典之作，各分册的编写人员通过多种途径，参阅和收集了大量的文献资料。这些文献资料对于进一步传播、发展和弘扬水文化，进一步提升人们的水文化素养具有重要价值。在此，我们对这些文献资料的奉献者表示衷心的感谢。

　　与此同时，我们还要说明的是，《丛书》各分册选列的是主要参考文献，未能详尽所有文献，在选引中也会有遗漏不全之处，亦敬请各位作者谅解。